Ир...

РУССКИЙ СУВЕНИР

Учебный комплекс по русскому языку для иностранцев

Базовый уровень

УЧЕБНИК

Четвёртое издание, стереотипное

РУССКИЙ ЯЗЫК
КУРСЫ

МОСКВА
2020

УДК 811.161.1
ББК 81.2 Рус-96
    М74

Художник-иллюстратор *Виктория Катаева*

Все номера телефонов, электронные адреса и интернет-сайты, встречающиеся в книге, представлены в образовательных целях и являются недействительными.

М74

Мозелова, Ирина
Русский сувенир: Базовый уровень: Учебный комплекс по русскому языку для иностранцев. Учебник / И. Мозелова. — 4-е издание, стереотип. — М.: Русский язык. Курсы, 2020. — 168 с.: ил.

ISBN 978-5-88337-532-2

Учебный комплекс предназначен для иностранных учащихся, которые знакомы с русским языком на элементарном уровне, но также отлично подходит для учащихся, которые уже начинали изучать русский язык, но многое забыли. Комплекс состоит из учебника, рабочей тетради, книги для преподавателя, CD для учащегося и CD для преподавателя.

Учебник включает 8 глав, каждая из которых состоит из четырёх уроков. Четвёртый урок каждой главы — это урок-обзор с заданиями по изученному лексико-грамматическому материалу. В конце книги помещён итоговый тест, тексты к аудиозаписям, ключи к тестам, краткий справочник по грамматике и задания по коммуникативной практике. Книга рассчитана на работу в классе под руководством преподавателя. Её можно использовать как для групповых занятий, так и для индивидуальных. Особенностью данного курса является включение в него оригинальных видеосюжетов. Курс построен так, что по его завершении учащиеся смогут активно использовать русский язык на базовом уровне (А2).

УДК 811.161.1
ББК 81.2 Рус-96

ISBN 978-5-88337-532-2

Введение

«Русский сувенир 2» (соответствует базовому уровню А2 в международной классификации) – это учебный курс, рассчитанный на англоговорящих взрослых, которые уже владеют русским языком на элементарном уровне (А1). Учебный комплекс включает в себя учебник, рабочую тетрадь для выполнения домашних заданий, диск для учащегося с аудио- и видеозаписями, а также диск и книгу для преподавателя.

Учебник используется под контролем преподавателя. Курс состоит из восьми разделов. Все разделы состоят из четырёх уроков. Каждый урок содержит новые слова, новую грамматику и коммуникативную задачу. Четвёртый урок каждого раздела – это урок-обзор, который включает в себя лексико-грамматический тест и предполагает просмотр видеосюжета по изучаемой теме и разговорную практику. Ударение в новых словах обозначено жирным шрифтом (Россия).

Если вы хотите изучать русский дополнительно, добро пожаловать на сайт автора:
www.russian-blog.com

Если у вас есть рекомендации, предложения или вам есть что сказать, пожалуйста, свяжитесь с автором по электронной почте:
irina.mozelova@gmail.com

Желаю приятного изучения русского языка!

С наилучшими пожеланиями, Ирина Мозелова

Учебник

Диск для учащегося

Рабочая тетрадь

Книга для преподавателя

Диск для преподавателя

Условные обозначения в книге

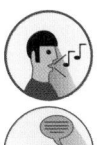 – работа над произношением

 – говорите, обсуждайте

 – читайте

 – слушайте

 – пишите

 – смотрите видео

СОДЕРЖАНИЕ

№	Тема		Учимся ...	Новые слова	Грамматика
1 стр. 6	**Моя семья**	1.1	Рассказывать о семье. Принимать приглашения	Семья. Родственники	Родительный падеж. Принадлежность
		1.2	Рассказывать об увлечениях. Отказываться от приглашения	Деятельность во время отдыха, глагол *уметь*	Возвратные глаголы (наст. вр.) *Заниматься* + Творительный падеж
		1.3	Спрашивать и рассказывать о биографии	Глаголы: *пожениться, родиться, случиться, познакомиться*	Возвратные глаголы (Прошедшее время)
	ОБЗОР стр. 19	1.4	*Видео: «Чем вы любите заниматься?»*		
2 стр. 22	**Праздники**	2.1	Поздравлять с праздником. Рассказывать о традициях	Названия праздников. Глаголы: *праздновать, поздравлять, прощаться, гулять*	*Поздравлять* + Творительный падеж
		2.2	Подписывать открытки, говорить тосты и пожелания	Пожелания (счастья, любви, удачи и т.д.)	Родительный падеж с глаголом *желать*
		2.3	Предлагать идею подарка. Выражать удивление	Подарки	Родительный падеж после предлогов
	ОБЗОР стр. 33	2.4	*Видео: «Архангельск»*		
3 стр. 36	**Покупки**	3.1	Понимать информацию на этикетках косметической продукции	Части тела. Косметика. Магазины	Родительный падеж. Множественное число
		3.2	Покупать продукты	Числа и время. Фрукты и овощи	Родительный падеж с числами
		3.3	Общаться в магазине, покупать одежду	Одежда, обувь, аксессуары. В магазине	Родительный падеж при выражении отсутствия
	ОБЗОР стр. 49	3.4	*Видео: «Итальянское кафе»*		
4 стр. 52	**Скоро в отпуск**	4.1	Спрашивать и рассказывать об отпуске	Природа (*озеро, пустыня, лес* и т.д.)	Вид глагола. Прошедшее время
		4.2	Бронировать номер в гостинице и изменять даты бронирования	В гостинице. Типы номеров	Родительный падеж при выражении времени (даты)
		4.3	Рассказывать о планах на отпуск	Глаголы: *открывать, закрывать, покупать, продавать* и др.	Вид глагола. Будущее время
	ОБЗОР стр. 65	4.4	*Видео: «Как забронировать номер»*		

5 — У нас дома

стр. 68

5.1 Рассказывать о доме своей мечты. Выражать возмущение	Дом, интерьер, нужные вещи для уборки	Предложный падеж при выражении местоположения
5.2 Рассказывать, для чего нужны разные вещи в доме	Глаголы: *мыть, убирать, стирать, чистить*	Конструкции: *чтобы* + инфинитив, *для* + сущ. (Р. п.)
5.3 Рассказывать о нахождении разных предметов в доме	Бытовая техника	Творительный падеж после предлогов *над, под, за, перед, между, рядом с*

ОБЗОР *стр. 81* **5.4** Видео: «Комната Виктории»

6 — На работе

стр. 84

6.1 Рассказывать о своей работе, кем хотели стать в детстве. Проходить собеседование	Профессии. Собеседование	Творительный падеж с глаголами *быть, стать, работать*. Местоимения в творительном падеже
6.2 Делать телефонные звонки (заказывать, бронировать, записываться)	Глаголы: *заказать, записаться, отменить, перенести, позвонить*	Конструкции: *спасибо / извините за* + сущ., *спасибо / извините, что* + глагол
6.3 Писать электронные письма	Глаголы: *дать, подарить, помочь, нравиться, пообещать, показать* и др.	Дательный падеж + адресат

ОБЗОР *стр. 97* **6.4** Видео: «Мелочи жизни. Собеседование»

7 — Досуг

стр. 100

7.1 Рассказывать о своих увлечениях. Узнавать о хобби собеседника	Хобби, кино, книги, музыка	Глагол *нравиться* + Винительный падеж. Разница между *зовут* и *называется*
7.2 Рассказывать о сюжете фильма / книги	Книги, журналы, фильмы, новости	Предложный падеж после предлога *о* (объект *мысли*)
7.3 Рассказывать, куда вы обычно ходите, куда ходили вчера	Места и мероприятия для проведения досуга	Глаголы движения: *ходить, ездить, идти, ехать*

ОБЗОР *стр. 112* **7.4** Видео: «Русский и украинский языки»

8 — Города

стр. 116

8.1 Рассказывать и понимать информацию об известных местах	Достопримечательности	Предложный падеж с годами после предлога *в* (*в году*). Сравнительная и превосходная степени прилагательных
8.2 Ориентироваться в городе, объяснять своё местоположение	В городе: виды улиц, станции метро	Направление и местоположение. Дательный падеж после предлогов *к, по*
8.3 Купить билет, узнать нужную информацию на вокзале / в аэропорту	В аэропорту (*вылет, посадка, стойка регистрации* и т.д.)	Глаголы движения с приставками

ОБЗОР *стр. 128* **8.4** Видео: «Экскурсия по Москве»

Повторение 132
Финальный тест 134
Грамматика 142
Фонетика 151
Коммуникативная практика 152
Ключи к тестам 158
Аудиокурс 162
Благодарности 167

1 МОЯ СЕМЬЯ

1 а) Спрашивайте и отвечайте.

1. Как вас зовут?
2. Откуда вы?
3. Где вы живёте?
4. Сколько времени (= как долго) вы изучаете русский язык?
5. Кто вы по профессии?
6. Что вы любите делать в свободное время?

б) Расскажите о партнёре.

1. Как его/её зовут?
2. Откуда он/она?
3. Где он/она живёт?
4. Сколько времени (= как долго) он/она изучает русский язык?
5. Кто он/она по профессии?
6. Что он/она любит делать в свободное время?

2 а) Смотрите на фотографию. Кто на фото?

☐ мама ☐ папа ☐ сын ☐ дочка

б) Смотрите на рисунок внизу. Кто что сейчас делает?

1. читать журнал
2. смотреть телевизор
3. играть на компьютере
4. слушать музыку
5. спать

МАМА МАМЫ – ЭТО МОЯ БАБУШКА

3 Новые слова |
Семья / Family

1. м**а**ма (м**а**ть)
2. п**а**па (от**е**ц)
3. сын
4. дочь (д**о**чка)
5. б**а**бушка
6. д**е**душка
7. внук
8. вн**у**чка
9. род**и**тели
10. д**е**ти
11. брат
12. сестр**а**
13. т**ё**тя
14. д**я**дя
15. муж
16. жен**а**
17. друг
18. подр**у**га
19. плем**я**нник
20. плем**я**нница
21. куз**е**н (дво**ю**родный брат)
22. куз**и**на (дво**ю**родная сестр**а**)
23. жен**и**х
24. нев**е**ста

4 Произношение |
Ж на конце = [Ш]

1.1–4

| [ж] – звонкий |
| жен**а**, жир**а**ф, ждать, Жен**е**ва, жить. |
| [ш] – глухой |
| б**а**бушка, д**е**душка, д**е**вушка, шарм, шарф. |
| ж = [ш] |
| муж, эт**а**ж, баг**а**ж, нож, гар**а**ж, персон**а**ж, макия́ж. |

5 а) Смотрите на рисунок. Пишите, кто они друг для друга.

1. Ольга / Иван   Это дочка и папа.
2. Михаил / Анна _____
3. Михаил / Анастасия _____
4. Ольга / Михаил _____
5. Юлия / Марк _____
6. Игорь / Алексей _____
7. Алексей / Ольга _____
8. Игорь / Иван _____
9. Юлия / Анастасия _____
10. Михаил / Юлия _____

б) Ролевая игра. Выберите героя (Choose the character). Расскажите о семье от его лица.

Пример
Здравствуйте! Меня зовут Алексей. У меня большая семья. У меня есть мама. Её зовут Анна. У меня есть папа. Его зовут Михаил...

6 а) Грамматика |

Родительный падеж. Принадлежность /
The genitive case. Possession

**Смотрите на примеры
и заполните таблицу.**

Это Стив.   Это Тамара.

Это машина Стива   Это сумка Тамары

чья? чей? чьё? чьи?

| согласная
consonant | + | _____ | -а → _____ |

после
к, г, ш, щ, ж, ч, х

-й, -ь → -я   -я, -ь → -и

Примеры

Дети сына – это мои
внуки.   Брат мамы – это мой
дядя.

в) Закончите предложения.

1. Мама мамы – это _моя бабушка____ .
2. Папа мамы – это _____ .
3. Сын папы – это _____ .
4. Брат папы – это _____ .
5. Сестра мамы – это _____ .
6. Сестра брата – это _____ .
7. Дочь сестры – это _____ .
8. Сын брата – это _____ .

г) Пишите слова
в правильной форме.

1. Мария – это жена (друг)_друга___ .
2. Это книга (Сергей) _____ .
3. Это дом (сын) _____ .
4. Это сумка (сестра) _____ .
5. Это часы (муж)_____ .
6. Это очки (дедушка)_____ .
7. Это телефон (подруга) _____ .
8. Это карандаш (студент) _____ .
9. Это ключ (директор) _____ .

б) Чьи это вещи?

1. Это телефон Марины.

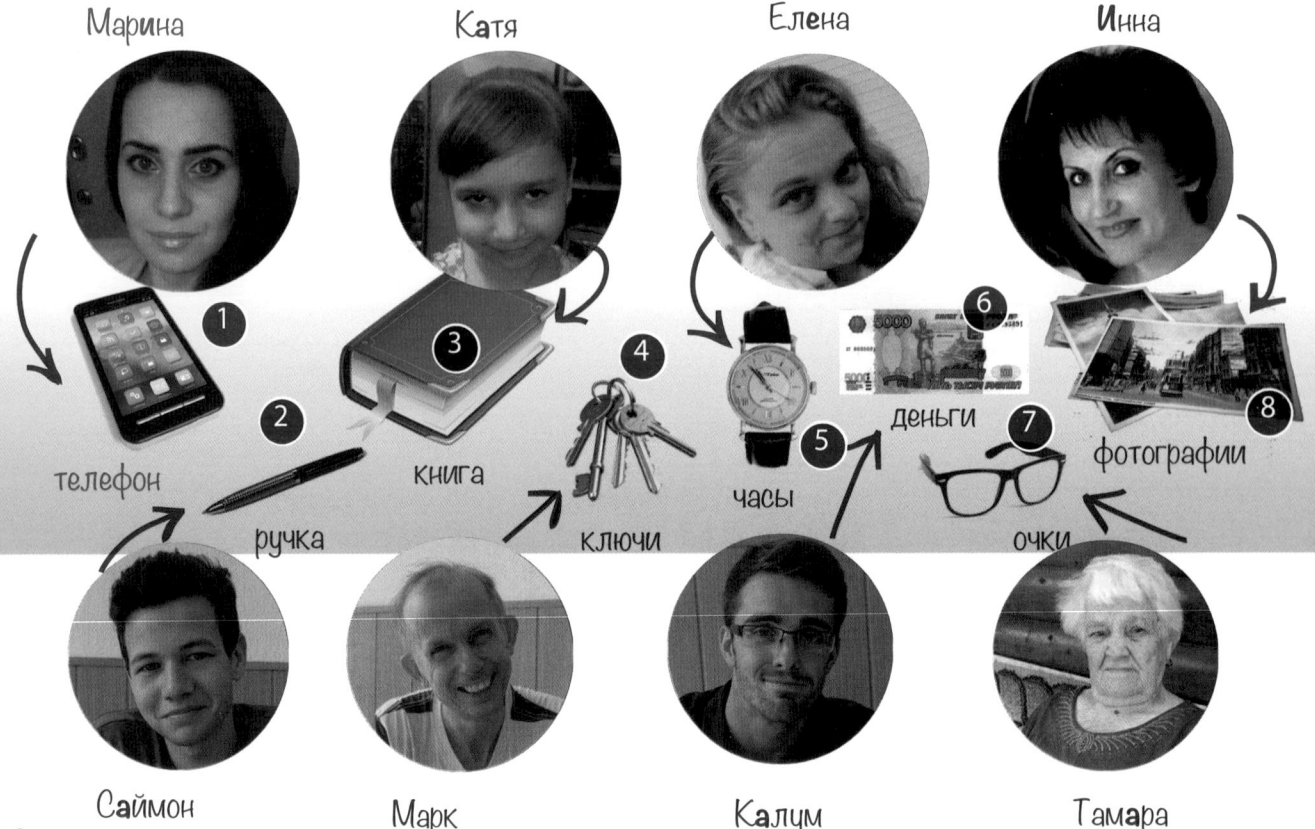

Марина   Катя   Елена   Инна

① ② ③ ④ ⑤ ⑥ ⑦ ⑧

телефон   ручка   книга   ключи   часы   деньги   очки   фотографии

Саймон   Марк   Калум   Тамара

7 **a) Как |**

пригласить / to invite

Читайте диалог. Какая фраза нужна, если вы хотите пригласить (to invite) человека?

У нас завтра вечеринка. Я хочу пригласить тебя. Ты придёшь?

Да, я приду. Спасибо за приглашение!

б) Работайте в парах. Пригласите партнёра по модели.

А: Я хочу пригласить тебя в кино.
Б: Это отличная идея! Спасибо большое за приглашение!

~~в кино~~

в ресторан

в театр

на вечеринку

на кофе

на ужин

в музей

на футбольный матч

8 **a) Подруги разговаривают. У Светланы будет вечеринка. Читайте диалог и скажите, сколько человек в семье Светланы.**

С: Ира, в воскресенье у нас вечеринка. Ты придёшь?
И: Ну, не знаю, а кто там будет?
С: Там будет моя семья. Это очень важный для нас день – день рождения бабушки.
И: Сколько ей лет?
С: 90 лет. На вечеринке будет мой дедушка Вася и все дети бабушки: моя мама, тётя Катя, дядя Антон.
И: Дядя Антон – это мужчина, который очень любит петь караоке?
С: Да. Я знаю, он поёт ужасно. Но у нас дома нет караоке, поэтому он не будет петь.
И: Это хорошо! Кто ещё придёт?
С: Придут Александра и Дмитрий, это дети дяди Антона, и жена дяди Антона – Марта. А также сын тёти Кати Владимир и её муж Геннадий.
И: Владимир? Я никогда не видела его.
С: Он студент. Так ты придёшь?
И: Во сколько вечеринка?
С: В 6 часов.
И: Хорошо. Я буду.
С: Договорились.

б) Читайте диалог (стр. 9) ещё раз. Отметьте (√), что правда, а что нет.

	Да	Нет
1. Вечеринка будет в пятницу.	☐	☑
2. Будет вечеринка, потому что у мамы день рождения.	☐	☐
3. На вечеринке будут только друзья Антона.	☐	☐
4. Дядя Антон – это сын бабушки.	☐	☐
5. Дмитрий и Александра – это дети дяди Антона.	☐	☐
6. Владимир – это сын Марты.	☐	☐
7. Дмитрий – это брат Антона.	☐	☐

в) Читайте текст ещё раз и пишите имена в схему.

бабушка

мама

Светлана

г) Нарисуйте *(draw)* схему вашей семьи. Расскажите группе о ней *(tell the group about it)*.

Пример

Это моя семья. Это моя мама. Её зовут Мария. Это мой папа. Его зовут Александр.

д) Читайте диалог (стр. 9) по ролям.

е) Какие фразы вам нужны, если вы хотите... ?

1. пригласить друга на вечеринку.
2. знать время вечеринки.
3. сказать, что придёте на вечеринку.

9 Ролевая игра

Студент А
Смотрите стр. 152, 1.1–9.

Студент Б

Вы – Анна.

У вас есть брат. Его зовут Максим. Сейчас вы разговариваете с Максимом.

У вас есть муж, его зовут Михаил. У Михаила скоро день рождения. Вы планируете организовать вечеринку. На вечеринке будет его сестра Ольга и её муж Марк, родители Михаила Анастасия и Иван, лучший друг Михаила и коллеги из офиса.

Вам надо пригласить брата на вечеринку.

Вечеринка будет в субботу, в 19:00 у вас дома.

КАК ВЫ ОТДЫХАЕТЕ ВМЕСТЕ С СЕМЬЁЙ?

1   Обсуждайте в группе.

1. Вы любите отдыхать вместе с семьёй?
2. Если да, что вы обычно делаете?

2   а) Новые слова |
Как мы отдыхаем / How we rest

Соотнесите (*match*) новые слова и картинки.

- [ ] уч**и**ться игр**а**ть на гит**а**ре
- [ ] кат**а**ться на велосип**е**де
- [ ] занима**т**ься сп**о**ртом
- [ ] встреч**а**ться с друзь**я**ми

б) Михаил и его семья очень любят отдыхать вместе. Смотрите на картинки и скажите, что им нравится делать.

в) Обсуждайте. Вы любите отдыхать, как семья Михаила?

Мне нравится	Мне не нравится
1. Мне нравится кататься на велосипеде	

3   а) Грамматика |
Возвратные глаголы. Настоящее время /
Reflexive verbs. Present tense

Занимать**ся** – *to do, to be busy with something*

я	занима**ю**	**сь**
ты	занима**ешь**	ся
он / она / оно	занима**ет**	ся
мы	занима**ем**	ся
вы	занима**ете**	**сь**
они	занима**ют**	ся

**б) Пишите глаголы
в правильной форме.**

1. Мы (заниматься) _занимаемся_____
спортом.
2. Он (кататься) _____
на велосипеде.
3. Вы (кататься) _____
на мотоцикле?
4. Я (заниматься) _____
аэробикой.
5. Мы часто (встречаться) _____
с друзьями.
6. Мой сын (учиться) _____
кататься на велосипеде.
7. Они (заниматься) _____
баскетболом.
8. Я (заниматься) _____
футболом.

4   **Слушайте и пишите, чем
занимаются эти люди
в свободное время.**

 1.2–4

Евгения   *Инна*   *Андрей*

_____ _____ _____
_____ _____ _____

5   **а) Слушайте историю
Михаила. Пишите, что Михаил
любит делать, а что нет.**

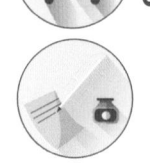 1.2–5

Михаил любит

Михаил не любит

**б) Читайте историю Михаила
и отвечайте на вопросы.**

1. Чем любит заниматься Анна?
2. Чем занимаются дети Михаила в
свободное время?

Здравствуйте! Меня зовут Михаил
Иванов. Я очень много работаю,
поэтому я нечасто отдыхаю с
семьёй. Но когда у меня есть
свободное время, я люблю быть
с семьёй. И ещё мы с Анной любим
встречаться с друзьями. Моя жена
Анна очень любит спорт.
И она хочет заниматься спортом
вместе. Если честно, я не очень
люблю спорт. И очень часто Анна
занимается спортом одна. Но мне
нравится кататься на велосипеде.
Наши дети Игорь и Алексей учатся
в школе. В свободное время они
занимаются спортом и играют на
пианино. А ещё они очень любят
играть на компьютере.

**в) Сейчас вы – Анна.
Расскажите, как вы
отдыхаете с семьёй.**

**г) Расскажите, что вы
любили или не любили
делать вместе с семьёй
в детстве.**

6 Произношение | ТС , ТЬС = [Ц]

1.2–6

Ц

пи**цц**а, церем**о**ния, америк**а**нец, **ц**и**рк**, **Ц**ю**рих**, африк**а**нец, **ц**у**нами**, информ**а**ция, цен**а**, **ц**и**т**рус.

ТС, ТЬС = [Ц]

заниматься – [зан'им**а**ца]
встречаться – [фстр'ич**а**ца]
мне нравится – [мн'э_нр**а**в'ица]
они учатся – [ан'и_**у**чаца]
она занимается – [ана_зан'им**а**йэца]
он катается – [он_кат**а**й'эца]

8 Грамматика |

Творительный падеж с глаголом «заниматься» /
The instrumental case with the verb "заниматься"

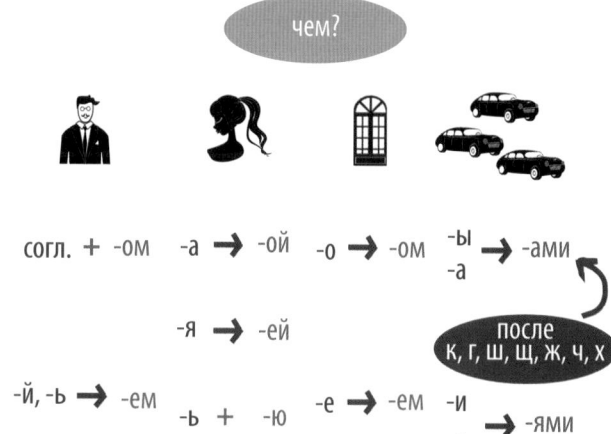

чем?

согл. + -ом   -а ➔ -ой   -о ➔ -ом   -ы -а ➔ -ами

-я ➔ -ей

после к, г, ш, щ, ж, ч, х

-й, -ь ➔ -ем   -ь + -ю   -е ➔ -ем   -и -я ➔ -ями

Примеры

- Я занимаюсь спортом.
- Вы занимаетесь йогой.
- Он занимается футболом.
- Они занимаются шахматами.

---

7 Смотрите на картинки и скажите, чем сейчас занимаются эти люди.

☐ ~~заниматься спортом~~   ☐ кататься на л**о**дке
☐ встречаться с друзьями   ☐ кататься на велосипеде
☐ заниматься йогой   ☐ учиться в школе

① Они занимаются спортом.
②
③
④
⑤
⑥

9 **а) Пишите слова в правильной форме.**

1. Вы занимаетесь (спорт) _спортом_ ?
2. Мой сын занимается (баскетбол)
   _____ .
3. Моя дочка занимается (теннис)
   _____ .
4. Мы занимаемся (йога) _____ .
5. Я занимаюсь (аэробика)
   _____ .
6. Я не занимаюсь (сноуборд)
   _____ .
7. Вы занимаетесь (танцы)
   _____ ?
8. Ты занимаешься (футбол)
   _____ ?
9. Мы занимаемся (гимнастика)
   _____ .

б) Пишите глагол «заниматься» в правильной форме.

1. Чем вы сейчас _занимаетесь_ ?
2. Я _____
   йогой.
3. Чем _____
   ваша сестра?
4. Мой брат_____
   шахматами.
5. Мои дети _____
   в школе.
6. Мы _____ танцами.
7. Я _____ фитнесом.
8. Вы _____
   сноубордом?
9. Он _____
   бизнесом.

10 **а) Новое слово |** уметь

Смотрите на картинку и скажите, какая разница между «мочь» и «уметь».

Я умею кататься на сноуборде. Но сегодня я не могу кататься, потому что у меня болит нога.

б) Отвечайте на вопросы.

1. Вы умеете готовить?
2. Вы умеете кататься на лошади?
3. Вы умеете кататься на сноуборде?
4. Что вы умеете хорошо делать?

11 **а) Как |**
отказаться / to refuse

Читайте диалог и скажите, какая нужна фраза, чтобы отказаться (to refuse).

А: Вика, какие планы на воскресенье?
Б: Утром я хочу идти <u>в фитнес-клуб заниматься аэробикой</u>, а что?
А: Я иду <u>кататься на сноуборде</u> в это воскресенье вечером. Не хочешь присоединиться?
Б: Я не умею. А ты умеешь <u>кататься на сноуборде</u>?
А: Я тоже не умею. Завтра будет мой первый раз.
Б: Ты знаешь, я бы с удовольствием, но я не могу. Вечером в воскресенье я встречаюсь с подругой в кафе. Давай в другой раз.

б) Читайте диалог ещё раз и замените <u>подчёркнутые</u> слова.

- ~~в фитнес-клуб заниматься аэробикой — кататься на сноуборде.~~
- на курсы заниматься музыкой — кататься на лошади.

в) Ролевая игра
Студент А: Вам нужно пригласить партнёра делать что-то вместе.
Студент Б: Вам нужно отказаться.
Поменяйтесь ролями.

А ПОТОМ ОНИ ПОЖЕНИЛИСЬ ... (1.3)

1   а) Новые слова |
Семейное положение / Marital status

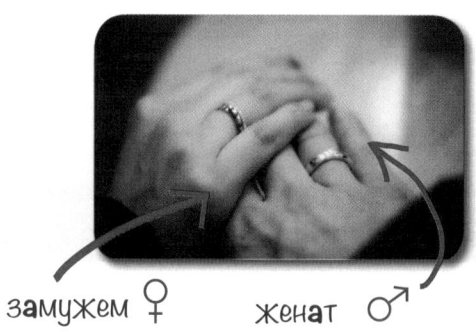
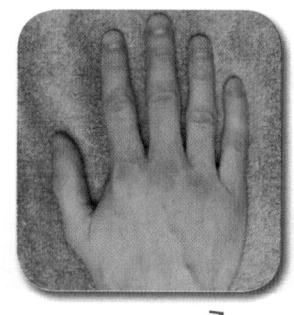
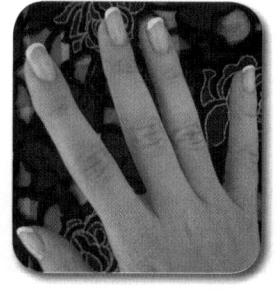

замужем ♀   женат ♂   холост ♂   не замужем ♀

**б) Это Вика, Татьяна и Владимир. Слушайте их истории.
Пишите пропущенные (omitted) слова.**

1.3-1

Вика, 26 лет

Я — _____ .
Я делаю декорации на
праздники и в магазины.
Я _____ ,
но у меня есть
молодой человек. Мы
_____ уже 3 года.
Мы вместе очень любим
кататься на сноуборде
или просто гулять и
разговаривать.

Татьяна, 35 лет

Я долгое время жила
с мужем в Германии.
Сейчас я живу в России и
работаю в школе.
Я – _____.
Я знаю английский
и немецкий языки.
В свободное время
я очень люблю
путешествовать
и делать фотографии.
Фотография – это моё
хобби.

Владимир, 50 лет

Я – водитель.
Я _____
уже 20 лет. Мою
жену зовут Юлия.
У нас есть 3 дочки.
Я очень люблю

_____

спортом,
особенно я люблю

_____

на лыжах.

в) Читайте текст на стр. 162, 1.3–1. Отметьте (√), что правда, а что нет.

	Да	Нет
1. Вика замужем.	☐	☑
2. Вика бухгалтер в офисе.	☐	☐
3. Вика любит кататься на лыжах.	☐	☐
4. Владимир женат.	☐	☐
5. У Владимира есть 3 дочки.	☐	☐
6. Владимир не занимается спортом.	☐	☐
7. Татьяна не замужем.	☐	☐
8. Татьяна работает в школе.	☐	☐
9. Татьяна любит кататься на велосипеде в свободное время.	☐	☐

г) Заполните таблицу.

	Вика	Татьяна	Владимир
семейное положение			
дети			
профессия			
хобби			

д) Отвечайте на вопросы.

1. Что делает Вика на работе?
2. Как долго Вика и её молодой человек встречаются?
3. Чем занимаются Вика и её молодой человек в свободное время?
4. Как зовут жену Владимира?
5. Как долго Владимир женат?
6. Какие языки знает Татьяна?
7. Чем Татьяна занимается в свободное время?

2 Произношение |

И = [Ы] после Ж, Ш.
Безударная Е = [Ы] после Ж, Ш, Ц.

и = [ы] после Ж, Ш, Ц
• жить – [жыт']
• жизнь – [жыз'н']
• машина – [машы́на]
• гаражи – [гаражы́]
• цирк – [цырк]

Безударная Е = [Ы]
• жена – [жына́]
• женат – [жына́т]
• замужем – [за́мужым]
• пишешь – [п'и́шыш]
• цена – [цына́]

3 Новые слова |

Глаголы / Verbs

Смотрите на картинки. Как вы думаете, что значат подчёркнутые глаголы?

Мы поженились 5 лет назад. Через год у нас родился сын.

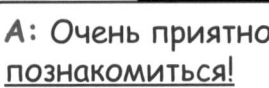

А: Очень приятно познакомиться!
Б: Взаимно!

А: Что случилось? Почему ты спишь на работе?
Б: Я не спал ночью.

1. пожениться
2. родиться
3. познакомиться
4. случиться

4 а) Грамматика |

Возвратные глаголы. Прошедшее время / Reflexive Verbs. Past tense

Читайте примеры. Как меняются возвратные глаголы в прошедшем времени?

- Михаил познакомился с Анной в кафе.
- У Ольги родилась дочка.
- Что случилось?
- Мы учились вместе в школе.

	познакомил	<u>ся</u>
	познакомила	сь
	познакомило	сь
	познакомили	сь

б) Пишите слова в скобках в правильной форме.

1. Раньше я много (заниматься)
   <u>занимался</u> спортом.
2. 10 лет назад мы (учиться)
   _____ в школе.
3. Мы (познакомиться),
   _____ когда учились в школе.
4. У нас (родиться) _____
   сын 5 лет назад.
5. Мои мама и папа (пожениться)
   _____ в Москве.
6. Это (случиться) _____
   5 лет назад.
7. Они (встречаться) _____
   1 год, а потом (пожениться)
   _____ .
8. Где вы (познакомиться)
   _____ ?
9. Когда вы (пожениться)
   _____ ?

5 а) Читайте истории Ольги, Ивана и Михаила (стр. 18). Какая история самая романтичная?

Ольга

Я помню, несколько лет назад я была в банке. Там работал очень красивый мужчина. Мы познакомились, и он пригласил меня в кино. Фильм был ужасный, но после кино мы пошли гулять. Потом мы начали встречаться. Мы встречались с Марком каждый день. А через 3 года мы решили пожениться. Потом у нас родилась дочка Юлия.

Иван

Мы с Настей учились вместе в университете. Мне она очень нравилась, но она долгое время игнорировала меня. Однажды у нас была вечеринка. Там были все студенты. Мы с Настей много танцевали. Потом мы начали часто встречаться. Через 2 года мы поженились, и у нас родился Михаил, а потом через год родилась Ольга. Я должен сказать, что тогда была отличная вечеринка!

Михаил

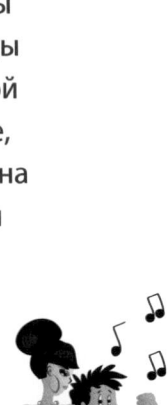

Мы с Анной познакомились 7 лет назад. Мы работали вместе в офисе. Очень долгое время мы были просто друзьями. Однажды я был на концерте. Выступал мой любимый музыкант. И вы знаете, что случилось в этот вечер?! Анна тоже была на концерте. Это был также и её любимый музыкант. Она не знала, что я хотел идти на концерт. Мы увидели друг друга. После концерта мы шли домой и долго разговаривали. Потом мы начали встречаться, а через год мы поженились.

б) Отвечайте на вопросы.

1. Как Ольга познакомилась с Марком?
2. Как Иван познакомился с Настей?
3. Как Михаил познакомился с Анной?

в) Ролевая игра.

Марк – муж Ольги.

Настя – жена Ивана.

Анна – жена Михаила.

Выберите (choose) героя (Марк, Анастасия или Анна) и расскажите от его лица, как они познакомились с Ольгой, Иваном и Михаилом.

Пример
Я познакомилась с Михаилом 7 лет назад. Мы работали вместе...

6 **а) Это семья. Муж Юрий и жена Мария. Придумайте их историю. Отвечайте на вопросы.**

Мария   *Юрий*

1. Где они познакомились?
_____
_____
_____
_____

2. Что им нравится друг в друге?
_____
_____
_____

3. Сколько времени они встречались до свадьбы?
_____
_____
_____

4. Когда у них родились дети?
_____
_____

5. Сколько у них детей?
_____
_____

6) Расскажите свои (your) истории.

в) Расскажите группе, как вы познакомились с мужем / женой, или как познакомились ваши родители.

ОБЗОР

1 Кто эти люди?

1. мама мамы – __это бабушка__
2. дочка сестры – _____
3. сын папы – _____
4. дочка мамы – _____
5. сын сына – _____
6. дочка сына – _____
7. сын брата – _____
8. сестра папы – _____
9. брат мамы – _____

2 Какое тут должно быть слово?

Каждый день я _____ спортом.

а) катаюсь
б) занимался
в) встречаюсь
г) занимаюсь

3 Какое тут должно быть слово?

Мы любим _____ на велосипеде.

а) катаюсь
б) катаемся
в) заниматься
г) кататься

4 Какое тут должно быть слово?

Мы _____ 4 года назад.

а) встречаемся
б) пожениться
в) поженились
г) познакомился

5 Меняйте прошедшее время *(the past tense)* на настоящее *(present)*.

1. Раньше я много занимался спортом.
   __Сейчас я много занимаюсь__
   __спортом.__

2. 10 лет назад мы учились в университете.
   _____
   _____
   _____

3. Они встречались каждый день. _____
   _____
   _____

4. Вчера мы катались на лодке.
   _____
   _____
   _____

5. Он профессионально занимался музыкой.
   _____
   _____
   _____

6 Составьте предложения.

1. бабушка / заниматься / йога / в / воскресенье
   __Бабушка занимается йогой__
   __в воскресенье.__

2. мы / познакомиться / 2 / год / назад _____
   _____
   _____

3. 10 / год / назад / мы / учиться / вместе/ в / университет/
   _____
   _____
   _____

4. мы / встречаться / каждый / день
   _____
   _____
   _____

7   Работа с видео (видео 1)

Ссылка на видео:
https://russian-blog.com/videos

а) Обсуждайте в группе.

1. Как вы понимаете слово «хобби»?
2. У вас есть хобби? Какое?

б) Читайте текст и отвечайте на вопрос.

• **Что такое увлечение?**

Увлечение – это любимое дело человека. Сейчас также можно слышать модное слово «хобби». Хобби и увлечение – это одно и то же. Это то, что делает человек в свободное время. Кто-то любит заниматься музыкой, кто-то спортом, а кто-то увлекается литературой. У всех людей разные вкусы.

в) Грамматика | Творительный падеж

заниматься интересоваться увлекаться	+	Творительный падеж / The instrumental case

- Я занимаюсь спортом.
- Я интересуюсь архитектурой.
- Я увлекаюсь музыкой.

Пишите слова в скобках в правильной форме.

1. Я увлекаюсь (история театра)
   _____.

2. Мы интересуемся (политика)
   _____.

3. Мы увлекаемся (языки)
   _____.

г) Новые слова
Угадайте значение слов из контекста.

большая часть	Большая часть – это больше, чем 50%.
рисовать	Художник рисовал красивые картины.
рисование	Рисование – это моё хобби.
биатлон	Биатлон – это зимний вид спорта.
побыть один / одна	Я люблю побыть один, потому что в это время я могу мечтать *(to dream).*

д) Грамматика | Глагол ⟶ Существительное

рисовать	⟶	рисование
кататься	⟶	катание

Образуйте существительные.

• понимать   • праздновать   • желать

е) Смотрите видеосюжет.
Отметьте (√), что правда, а что нет.

	Да	Нет
1. Виктория любит кататься на лыжах.	☐	☐
2. Виктория интересуется литературой и историей.	☐	☐
3. Виктория 10 лет активно занималась волейболом.	☐	☐
4. Ирина не работает.	☐	☐
5. Ирина увлекается музыкой.	☐	☐

ж) Расскажите, чем занимаетесь большую часть времени вы и ваша семья?

2 ПРАЗДНИКИ

1   **а) Какие праздники вы уже знаете?**

б) Новые слова |
Праздники / Holidays

2.1-1

Слушайте и повторяйте.

- ☐ Новый год
- ☐ Рождество
- ☐ Пасха
- ☐ день рождения
- ☐ Восьмое марта
- ☐ годовщина
- ☐ День святого Валентина
- ☐ Двадцать третье февраля
- ☐ свадьба

в) Соотнесите новые слова и картинки (1–9).

г) Запоминайте новые слова.

Студент А называет праздник. Студент Б касается картинки (стр. 22–23).

д) Отвечайте на вопросы.

1. Какой ваш любимый праздник? Почему?
2. Расскажите, как вы празднуете его:
- Какие есть традиции?
- Что обычно люди едят в этот праздник?
- Что обычно люди пьют в этот день?
- Как вы украшаете (decorate) дом?

С днём 8 Марта!

С Рождеством!

С любовью!

С ПРАЗДНИКОМ! 2.1

2 а) Новые слова |
Глаголы / Verbs

Читайте фразы. Угадайте, что значат <u>подчёркнутые</u> слова.

1. В Европе люди <u>пр**а**зднуют</u> Рождество в декабре.
2. Он всегда <u>поздравл**я**ет</u> меня с днём рождения на следующий день.
3. <u>Прощ**а**ться</u> – это значит говорить «До свидания!»
4. Каждое утро и каждый вечер я <u>гул**я**ю</u> с собакой.

б) Вставляйте слова из № 2а.

1. Когда люди __прощаются__ , они говорят: «До свидания!» или «Пока!»
2. Мы _____ Рождество в январе.
3. Анна и Михаил каждый вечер _____ в парке.
4. Я _____ тебя с днём рождения!

3 а) Вы знаете праздник «Масленица»? Читайте текст и скажите, почему люди празднуют Масленицу.

Ч**у**чело   Блин**ы**

МАСЛЕНИЦА

М**а**сленица – это славянский традиционный праздник в конце зимы. Люди празднуют Масленицу целую неделю. У Масленицы нет даты, потому что каждый год дата новая. Главный атрибут Масленицы – это блины. Люди готовят и едят блины. Блины – это символ солнца. Они даже визуально похожи на солнце. Люди рады, что ушла зима и пришла весна. Они гуляют, поздравляют друг друга с праздником и сжигают (*burn*) чучело. Чучело – это символ зимы. Когда люди сжигают чучело, они прощаются с зимой.

б) Исправляйте (*correct*) предложения.

1. Главный атрибут Масленицы – это цветы.
2. Масленицу празднуют в конце весны.
3. Блины – это символ зимы.
4. Люди сжигают блины.
5. Люди рады, что пришло лето.

4 а) Грамматика |

Творительный падеж с глаголом «поздравлять» / The instrumental case with the verb "to congratulate"

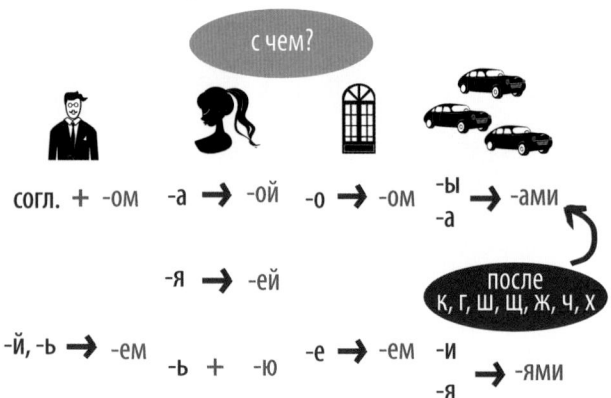

с чем?

согл. + -ом   -а → -ой   -о → -ом   -ы
                                           -а → -ами

                -я → -ей   после
                                           к, г, ш, щ, ж, ч, х

-й, -ь → -ем   -ь + -ю   -е → -ем   -и
                                           -я → -ями

Примеры

- Я поздравляю вас с Рождеством.
- Поздравляю с днём рождения.
- Поздравляю с годовщиной свадьбы.

б) Пишите слова в правильной форме.

1. Я поздравляю тебя с (День)
   __Днём_____ святого Валентина!

2. Мы поздравляем Вас с (Масленица)
   _____!

3. Поздравляю вас со (свадьба)
   _____!

4. Я поздравляю тебя с (Рождество)
   _____!

5. Поздравляю с Новым (год)
   _____!

в) Составьте предложения.

1. Он / поздравлять / ты / с / день рождения

   _____
   _____

2. вы / поздравлять / мы / с / годовщина / свадьба

   _____
   _____

3. они / поздравлять / ты / с / Масленица

   _____
   _____

5 Произношение |

Немая Д

2.1–5

- пр**а**здник
- С пр**а**здником!
- пр**а**здновать
- пр**а**здничный кост**ю**м
- пр**а**здничный день
- пр**а**здничный стол

6 а) Как |

показать, что вы знали что-то, но забыли / to show that you knew something but forgot it

А: Как будет по-русски _apple_?
Б: Я забыла.
А: _Apple_ по-русски – это яблоко.
Б: Ах, да! Точно! Я это знала.

б) Читайте диалог (№ 6а) по ролям, заменяйте подчёркнутые слова.

1. Apple — яблоко
2. House — дом
3. Holiday — праздник
4. Christmas — Рождество
5. Wedding — свадьба
6. New Year — Новый год
7. Anniversary — годовщина
8. Birthday — день рождения

7 **а) В семье у Дональда небольшой конфликт. Слушайте диалог и скажите, что случилось.**  2.1-7

б) Слушайте ещё раз. Отвечайте на вопросы.

- Какое сегодня число?
- Какой сегодня день недели?
- Какой сегодня праздник?

в) Читайте этот диалог по ролям.

А: Дональд, какой сегодня день?

Б: Четверг, а что?

А: Нет, Дональд! Я имею в виду, какое сегодня число?

Б: Двадцатое июня.

А: И какой это праздник?

Б: Праздник? Ну конечно, милая, сегодня наша годовщина. С годовщиной, дорогая!

А: Дональд, ты опять забыл?! Сегодня день рождения у сына!

Б: У Джордана? Ах, да! Точно! Ты права! Я забыл! Извини! Как мы будем праздновать сегодня? У тебя есть идеи, что мы будем дарить?

А: Да, у меня есть идея. Я позавчера видела в магазине то, что он хочет.

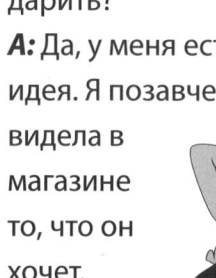

г) Читайте текст ещё раз. Как сказать по-русски... ?

- I mean – _____
- Exactly – _____
- You are right – _____

8 **Ролевая игра**

Студент А
Смотрите стр. 152, 2.1–8.

Студент Б

Вы – Дональд

Вы опять забыли, какой сегодня праздник. Ваша жена Кейт спрашивает, какой сегодня день. Вы знаете, что сегодня пятница, пятое июля. Вы понимаете, что сегодня праздник, но не знаете, какой. Что вы будете говорить в этой ситуации? Вы не хотите, чтобы она знала, что вы забыли.

25

Я ЖЕЛАЮ ВАМ СЧАСТЬЯ!

1 **Это открытки. На какие праздники вы будете их дарить?**

2 **а) Новые слова |**
Пожелания / Wishes

б) Запоминайте новые слова.

Студент А называет слово, студент Б касается картинки (1–7).

Соотнесите (match) рисунки и новые слова.

СЧ = [щ]

- [6] сч**а**стье
- [ ] здор**о**вье
- [ ] р**а**дость
- [ ] люб**о**вь
- [ ] уд**а**ча
- [ ] бог**а**тство
- [ ] усп**е**х

в) Обсуждайте в группе.

Что говорят люди в вашей стране, когда поздравляют с днём рождения?
Что они обычно желают друг другу?

7 Я так рад тебя видеть!

Ура! Я счастлив! Я выиграл в лотерею!

3 **а) Грамматика |**

Родительный падеж с глаголом «желать» /
The genitive case with the verb "to wish"

Примеры

- Я желаю тебе удачи!
- Я желаю вам успеха!
- Я желаю вам счастья и любви!

б) Составьте предложения.

1. я / желать / ты / счастье
   Я желаю тебе счастья!
   _____
2. я / желать / ты / богатство
   _____
3. я / желать / вы / любовь
   _____
4. я / желать / ты / радость
   _____
5. я / желать / ты / успех
   _____
6. я / желать / ты / здоровье
   _____
7. я / желать / ты / удача
   _____
   _____

**в) Пишите слова
в правильной форме.**

1. У тебя завтра экзамен. (Удача)
   _____Удачи_____ тебе!
2. Поздравляю с днём рождения! Желаю
   (счастье) _____ ,
   (любовь) _____ ,
   (радость) _____ и
   (богатство) _____ !
3. Желаю (здоровье) _____ !

4 **а) У Александра день
рождения. Читайте
открытку. Что Анна
желает ему?**

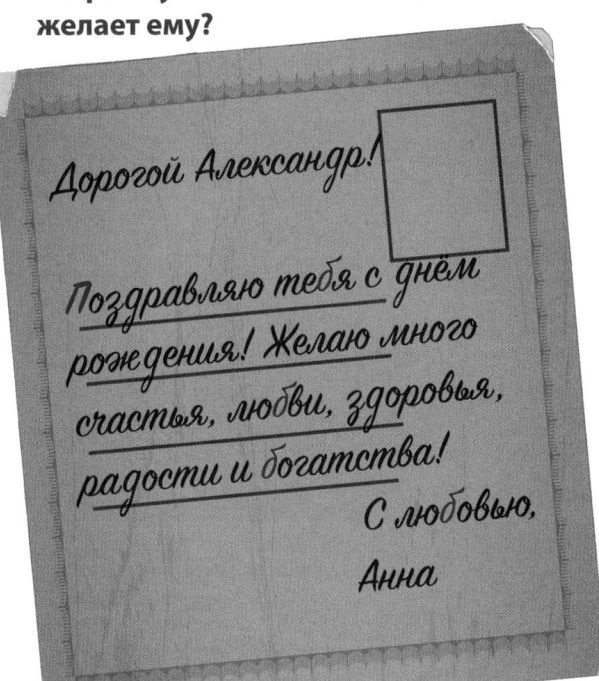

Дорогой Александр!

Поздравляю тебя с днём
рождения! Желаю много
счастья, любви, здоровья,
радости и богатства!

С любовью,

Анна

**б) У вас есть хороший
друг Андрей. Завтра
у него свадьба.
Напишите открытку.**

27

5 Как |
прощаться / to say goodbye

6 Грамматика |
Родительный падеж. Существительные, прилагательные, и притяжательные местоимения / The genitive case. Nouns, adjectives and possessive pronouns

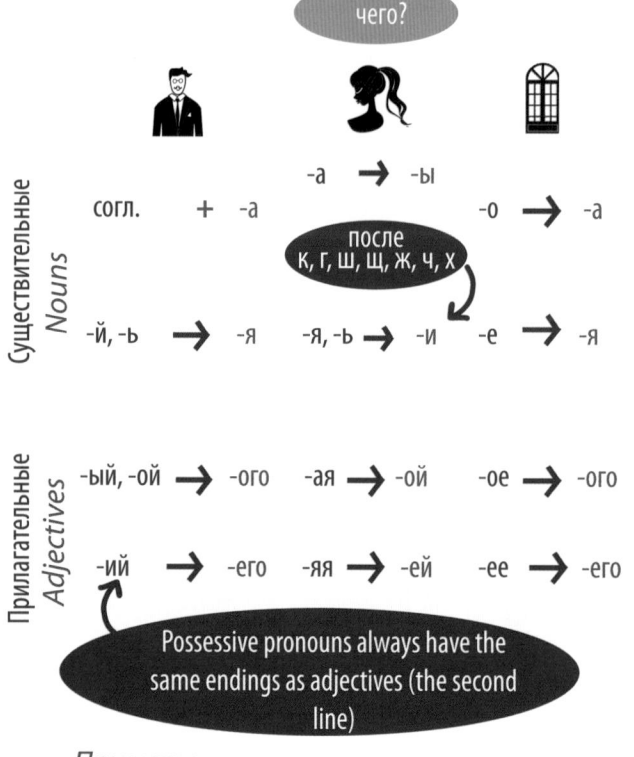

Possessive pronouns always have the same endings as adjectives (the second line)

Примеры

- Я желаю тебе хорошего дня!
- Я желаю вам спокойной ночи!
- Я желаю вам приятного аппетита!
- У моего друга есть дом.
- У моей подруги есть дети.

7 Произношение |
Г = [В]

- Хорошего дня! – [харошыва_дн'а]
- Всего доброго! – [фс'иво_добрава]
- Всего хорошего! – [фс'иво_харошыва]
- Приятного аппетита! – [пр'ийатнава _ап'ит'ита]
- Хорошего отпуска! – [харошыва _отпуска]
- У моего друга есть (собака). – [у_маиво_друга йэс'т']

8 Пишите слова в правильной форме.

1. Я желаю вам (хороший день)
   ___хорошего дня___!
2. Я желаю вам (приятный аппетит)
   _____!
3. Я желаю вам (спокойная ночь)
   _____!
4. Я желаю вам (интересный урок)
   _____!
5. У (мой друг) _____
   сегодня день рождения.
6. У (моя подруга) _____
   завтра свадьба.
7. У (мой папа) _____
   есть хорошие друзья.
8. У (твоя мама) _____
   есть интересное хобби.
9. У (ваш брат) _____
   сегодня хорошее настроение.
10. Это машина (мой дедушка)
    _____.
11. Я желаю вам (удачная поездка)
    _____!
12. Я желаю тебе (отличный праздник)
    _____!
13. Пилот желает нам (приятный полёт)
    _____.

9 Соедините фразы (а–ж) и ситуации (1–7).

а) Хорошего дня! – ситуация 7
б) Всего доброго!
в) Удачи!
г) Приятного полёта!
д) Хорошего отпуска!
е) Приятного аппетита!
ж) Спокойной ночи!

Ситуация 1
Обычно пилот говорит это в самолёте.

Ситуация 2
Ваш друг завтра едет в отпуск. Что вы скажете ему?

Ситуация 3
У вашего друга завтра очень важный экзамен. Что вы скажете ему?

Ситуация 4
Обычно люди говорят это, когда идут спать.

Ситуация 5
Это другой вариант для «До свидания!»

Ситуация 6
Люди всегда говорят это, когда кто-то ест.

Ситуация 7
Люди обычно желают это, когда прощаются в начале дня.

10 Что вы скажете в этих ситуациях?

1. Ваши друзья Саша и Таня недавно поженились.
2. Сегодня день рождения у вашего друга Георгия.
3. У вашего друга завтра очень важный экзамен.
4. Сегодня Рождество. Ваш друг звонит вам и поздравляет вас с Рождеством.
5. Ваш лучший друг сегодня вечером идёт на свидание.
6. Вы разговариваете с человеком, но он говорит, что сейчас ему надо идти обедать. Что вы скажете?
7. Вы долго разговаривали с подругой по телефону. Уже поздно. Она говорит, что хочет спать. Что вы скажете ей?
8. Сегодня Новый год. Вы хотите поздравить подругу с праздником. Что вы желаете ей в Новом году?

11 Ролевая игра в группе

Вы с друзьями хотите вместе встречать Новый год. Обсуждайте в группе, что можно сделать:

- где будет праздник,
- что будет на столе,
- что вы будете пить,
- какая будет музыка,
- какие будут украшения (декорации),
- какие будут игры.

2.3 ПОДАРКИ

1 а) Скоро Новый год. Марк купил подарки. Как вы думаете, для кого что он купил?

1. мама и папа
2. жена
3. дочка
4. лучший друг

духи

бутылка вина

картина

игрушка

Скоро Новый год, поэтому вчера я был в магазине. У меня около дома есть один очень хороший и большой магазин. Там я купил подарки для жены, дочки, мамы, папы и лучшего друга.
Для моего друга я купил бутылку хорошего вина. Для жены – её любимые духи. Для дочки – игрушку. А для мамы и папы – картину их любимого художника.

б) Слушайте, что говорит Марк. Какие подарки он купил для мамы, для папы, для жены, для лучшего друга и для дочки?

2.3–1

в) Читайте текст справа и вставляйте слова в предложения.

1. Там я нашёл подарки для
   _____ , _____ ,
   _____ , _____
   и лучшего _____ .
2. Для _____ _____ я
   купил бутылку хорошего вина.
3. А для мамы и папы картину их
   _____
   _____ .

2 а) Грамматика |

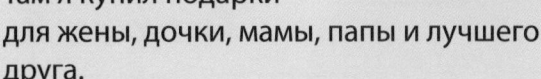

Родительный падеж после предлогов «у», «около», «до», «после», «для», «без», «из» («с»), «от» / The genitive case after prepositions «у», «около», «до», «после», «для», «без», «из» («с»), «от»

Примеры

- Это сюрприз <u>для</u> моего друга.
- Человек не может жить <u>без</u> воды.
- Магазин <u>около</u> дома.
- <u>До</u> урока я работал.
- <u>После</u> урока я обедал.
- <u>У</u> твоего друга сегодня день рождения.
- Я <u>из</u> Москвы.
- Я иду <u>с</u> урока.
- Это открытка <u>от</u> друга.

б) Для кого Марк купил эти вещи?

- духи
- картина
- игрушка
- бутылка вина

в) Вставляйте предлоги.

> до   после   из   с   для
> ~~без~~   около   у   от

1. Я не пью кофе ___без___ молока.
2. Я приехал _____ Германии.
3. Сегодня вечером _____ работы я иду в фитнес-клуб.
4. Сегодня утром _____ работы я слушал радио.
5. Это подарок _____ моего друга.
6. ____ моей жены есть интересная идея.
7. Новый ресторан _____ нашего офиса.
8. Этот ресторан справа _____ дома.
9. Когда я иду _____ тренировки, я слушаю музыку.

г) Обсуждайте, что вы делаете ДО, а что ПОСЛЕ.

1. идти в душ / завтрак
   Я иду в душ до завтрака.

2. делать домашнее задание / урок

3. идти на тренировку / работа

4. покупать подарки / праздник

5. читать книги / работа

6. делать упражнения / завтрак

д) Обсуждайте, без чего вы можете / не можете жить?

- хорошая музыка
- красное вино
- настоящий друг

- отпуск
- работа
- Интернет
- мобильный телефон

3   Разговорная практика.

1. **Студент А**: смотрите на рисунок на стр. 152, 2.3–3.
Студент Б: смотрите на рисунок на стр. 153, 2.3–3.
2. Опишите партнёру *(describe to your partner)* всё, что вы видите на рисунке. Используйте конструкции с предлогами *(use constructions with prepositions)*. Например:

- На рисунке дом. <u>Около</u> дома цветы.
- Справа / слева <u>от</u> мальчика дом.

3. Партнёр должен рисовать *(draw)* рисунок.
4. Потом сравните *(compare)* рисунки *(drawings)* с оригиналами.

4   а) Как |
выразить удивление / to express surprise

Да ладно!
Не может быть!
Я в шоке!

б) Читайте диалоги по ролям. Работайте над интонацией.

А: Я вчера в метро видел президента.
Б: Да ладно?! Не может быть!

А: Я вчера в офисе видел жирафа.
Б: Да ладно?! Не может быть!

А: Вчера в ресторане около меня сидела Николь Кидман.
Б: Да ладно?! Не может быть!

в) Разговорная практика. Пишите 5 необычных вещей (*unusual things*), **которые случились вчера. Потом расскажите партнёру** (*tell your partner*). **Партнёр должен демонстрировать удивление** (*show he/she is surprised*). **Поменяйтесь ролями** (*take turns*).

5 **а) Сёстры разговаривают. Скоро у их бабушки день рождения. Они думают, какой подарок купить. Читайте диалог и отвечайте на вопросы.**

1. Что сёстры думали купить вначале?
2. Что сёстры решили (*decided*) купить в результате?
3. Какой вариант вам нравится больше? Почему?

А: Ты помнишь, что у нашей бабушки скоро день рождения?
Б: Да, конечно. А ты уже решила, что ты будешь дарить?
А: Я ещё не знаю. Может быть, мы можем вместе решить? Какие у тебя есть варианты?
Б: Я думаю, она хочет ехать в горы. Бабушка так любит лес и горы!
А: Да ладно?! Ты это серьёзно? В горы? Ей будет 85 лет. Это опасно для бабушки. Может быть, билет в Большой театр? Я знаю, она очень любит смотреть балет.
Б: Отличная идея! Сначала в театр, а потом в ресторан.
А: Да! Здорово!

б) Пишите вопросы.

1. _____
   У кого скоро день рождения?
   — У бабушки скоро день рождения.
2. _____
   — Они хотят купить билет в театр.
3. _____
   — Сначала девушки хотели ехать с бабушкой в горы.
4. _____
   — Потому что это опасно для бабушки.
5. _____
   — Бабушка любит смотреть балет.
6. _____
   — Сначала в театр, а потом в ресторан.

6 **Ролевая игра**

Студент А. Читайте роль на стр. 153, № 2.3–6.

Студент Б

Вас зовут Александр. У вас есть брат Дмитрий. Вы сейчас говорите с Дмитрием. Скоро у вашего дедушки день рождения. Вам нужно решить, какой подарок вы купите. У вас есть разные варианты: можно купить галстук или книгу любимого автора. Обсуждайте ваши идеи с братом.

ОБЗОР
Глава 2. Праздники

2.4

1 **Соотнесите (*match*) слова и картинки.**

- годовщина – <u>5</u>
- Пасха – _____
- День святого Валентина – _____
- день рождения – _____
- Рождество – _____
- свадьба – _____

2 **Вставляйте пропущенные (*omitted*) слова в правильной форме.**

> счастье   день рождения
> большая любовь

> Мой друг!
> Поздравляю тебя с
> _____ .
> Желаю много
> _____ и
> _____ !

3 **Составьте предложения.**

1. я / поздравлять / вы / с / годовщина
   _____
   _____

2. я / жить / около / парк
   _____
   _____

3. мы / желать / вы / удача
   _____
   _____

4. у / мой / хороший / друг / есть / отличный / идея
   _____
   _____

5. я / не / мочь / жить / без / минеральная / вода
   _____
   _____

6. я / желать / ты / хороший / день
   _____
   _____

4 **Вставляйте предлоги.**

> ~~после~~   из   для   без   от
> до   около

1. <u>После</u> _____ нашего урока я иду в фитнес-клуб.
2. Я хочу чай _____ лимона.
3. Я готовлю подарок _____ моего папы.
4. Мы приехали _____ Берлина год назад.
5. _____ дома до работы надо ехать 1 час.
6. _____ офиса есть красивый парк.
7. Что вы делали _____ вечеринки?

Угадайте значение слов из контекста.

р**о**дина	<u>Родина</u> – это место, где родился человек.
стол**и**ца	<u>Столица</u> – это главный город страны.
прир**о**да	Организация «Гринпис» охраняет <u>природу</u>.
красот**а**	<u>Красота</u> – это что-то приятное для глаз.
мор**о**з	<u>Мороз</u> – это температура ниже 0˚С.
впечатл**е**ние	<u>Впечатление</u> – это след *(print)* в душе *(soul)* человека.
Кл**а**ссно!	<u>Классно</u> – это то же самое, что «Отлично!» *(разговорное)*
Замеч**а**тельно!	<u>Замечательно</u> – это то же самое, что «Очень хорошо!».

Ссылка на видео:
https://www.youtube.com/user/AnastasiSemina

а) Обсуждайте в группе.

1. Вы знаете, кто такие блогеры?
2. Чем они занимаются?
3. Вы смотрите видео известных блогеров в Интернете?

б) Анастасия Семьина – это популярный российский блогер. Читайте текст. Какие видео она снимает?

Анастасия Семьина живёт в России в Санкт-Петербурге. Она снимает интересные видео, которые помогают изучать русский и финский языки. У неё есть свой канал на youtube.

www.youtube.com/user/AnastasiSemina

в) В этом видеосюжете Анастасия едет в Архангельск. Вы знаете этот город? Где он находится?

г) Читайте текст. Что такое Малые Карелы?

Арх**а**нгельск – это город на севере России. Около Архангельска (25 км от его центра) находится музей деревянной архитект**у**ры и нар**о**дного *(folk)* тв**о**рчества *(art)* М**а**лые Кар**е**лы.

е) Грамматика |
Винительный падеж

любить за **+** Винительный падеж

- Я люблю это место за природу.
- Мы любим этот город за красоту.

За что вы любите ваш родной город?

ж) Смотрите видеосюжет. Отвечайте на вопросы.

1. Что люди празднуют в этот день?
2. В видеосюжете были туристы. Откуда они?
3. За что люди любят Архангельск?

з) Смотрите видеосюжет ещё раз. Пишите фразы, которые используют люди, чтобы поделиться *(to share)* впечатлением.

Пример
Классно!

6   Расскажите эту историю. Используйте слова внизу *(below)* в правильной форме. Придумайте детали *(think of the details)*.

ребёнок / хотеть / собака

он / сказать / что / он / хотеть / собака
мама / сказать / что / это / плохой / идея

однажды / когда / он / идти / дом / он / видеть / девочка / который / играть / с / собака

девочка / видеть / он / и / предложить / играть / вместе

они / играть / вместе

на / следующий / день / у / он / быть / день рождения

мама / с / папа / дарить / большой / подарок

это / быть / белый / собака

35

3 ПОКУПКИ

1 **Спрашивайте**
и отвечайте.

Вы любите делать покупки?
Если нет, скажите, почему.
Что вы любите покупать?

☐ од**е**жда

☐ **о**бувь

☐ косм**е**тика

☐ прод**у**кты

☐ кн**и**ги

☐ под**а**рки

☐ чт**о**-то друг**о**е

2 **а) Слушайте, что**
говорят люди.
Они любят /
не любят делать
покупки?

3.1–2

б) Слушайте ещё раз
и вставляйте
пропущенные слова.

❶ Я _____ делать покупки. Но,
к сожалению, моя жена очень любит
магазины одежды и обуви. Иногда я иду
в магазин с ней. Это ужасно!

❷ Мне _____ покупать продукты.
Иногда я сам хочу идти на рынок,
выбирать мясо или рыбу. Но мне
_____ покупать одежду.

❸ Я _____ магазины. Особенно
я люблю покупать одежду и обувь
с подругами. Мы можем рекомендовать
друг другу разные варианты. Мы всегда
идём в выходные в торговый центр около
дома.

в) Разместите *(place)* **глаголы на шкале.**

♥♥	1.	обожать
♥	2.	_____
☺	3.	_____
☹	4.	_____
✗	5.	_____

ненав**и**деть
люб**и**ть
~~обож**а**ть~~
нр**а**виться
не нр**а**виться

36

В МАГАЗИНЕ КОСМЕТИКИ

3 **а) Посмотрите на рисунки и соотнесите (match) их со словами.**

☐ рук**а**
☐ ног**а**
☐ лиц**о**
☐ глаз**а**
☐ г**у**бы
☐ в**о**лосы
☐ т**е**ло

б) Слушайте диалог. Отметьте (√), какие части тела упоминаются (are mentioned) в диалоге.

 **3.1–3**

в) Поставьте эти существительные во множественное число. / Put these nouns into the plural.

1. нога — _____ноги_____
2. рука — _____
3. глаз — _____
4. губа — _____
5. волос — _____

г) Читайте диалог 3.1.–3 на стр. 163. Пишите, какие товары купила девушка.

1. Она купила крем для _____ .
2. Она купила крем для _____ .
3. Она купила крем для _____ .
4. Она купила гель для _____ .
5. Она купила бальзам для _____ .

4 **а) Грамматика |**
Родительный падеж. Множественное число /
The genitive case. Plural

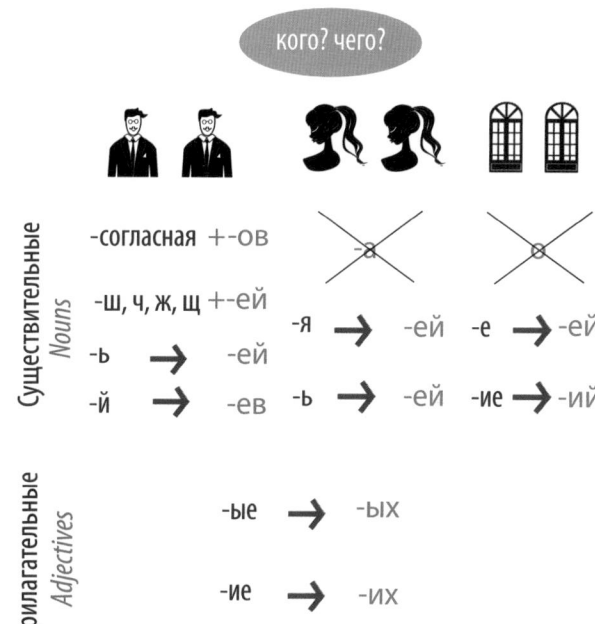

Примеры

- Это подарок <u>для</u> директор<u>ов</u>.
- Я не могу жить <u>без</u> друз<u>ей</u>.
- Это очень хороший крем <u>для</u> ру<u>к</u>.
- Это скраб <u>для</u> ног.
- Это сюрприз <u>для</u> мо<u>их</u> подруг.
- <u>После</u> урок<u>ов</u> я иду на тренировку.

б) Пишите слова в скобках в правильной форме.

1. Это еда для (собаки) _____собак_____ .
2. Это цветы для (женщины) _____ .
3. Это был сюрприз для (директора)
   _____ .
4. Это крем для (руки) _____ .
5. Это шкаф для (книги) _____ .
6. Это ваза для (цветы)_____ .
7. Это подарки для (коллеги) _____ .
8. Это цветы для (родители)_____ .

в) Составьте предложения.

1. У / наши друзья / сегодня / вечеринка
    У наших друзей сегодня вечеринка.

2. У / мои родители / сегодня / годовщина

    _____

3. У / наши директоры / сегодня / совещание

    _____

4. Около / парки / всегда / есть / кафе

    _____

5. От / наши друзья / до / наш дом / надо / ехать / 10 минут

    _____

---

6 Произношение |

В на конце = [ф]

в = [ф]

- Это офис директор**о**в.
- Это работа для журнал**и**стов.
- Это проблема банк**и**ров.
- Это салат из бан**а**нов.
- У него болит живот от апельс**и**нов.
- Это магазин музыкальных инструм**е**нтов.
- Это букет цвет**о**в.
- Это магазин под**а**рков.

---

5   Ролевая игра

а) Это магазин косметики. Что тут продают?

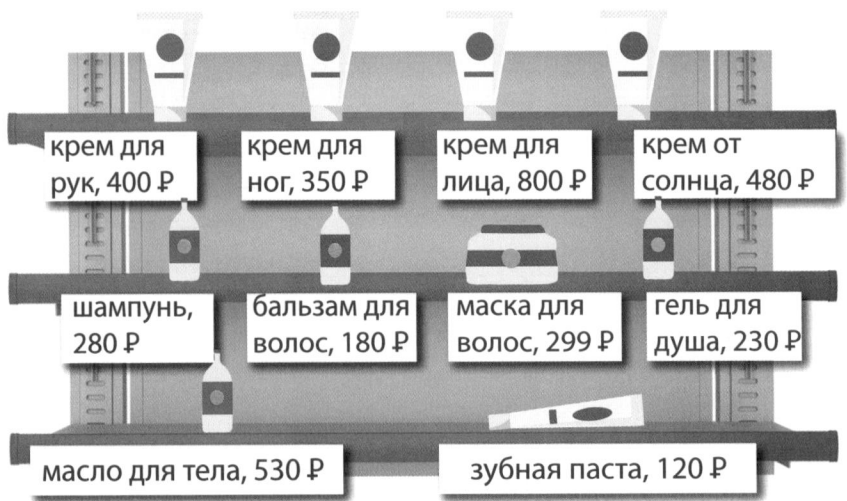

крем для рук, 400 ₽

крем для ног, 350 ₽

крем для лица, 800 ₽

крем от солнца, 480 ₽

шампунь, 280 ₽

бальзам для волос, 180 ₽

маска для волос, 299 ₽

гель для душа, 230 ₽

масло для тела, 530 ₽

зубная паста, 120 ₽

б) Читайте роль и разыграйте диалог.

Студент А

Вы – покупатель в магазине косметики

У вас скоро отпуск. Вы едете на море. Там очень жарко. Вам нужно купить косметику от солнца. Может быть, вы хотите купить что-то ещё. Смотрите, что есть в магазине. Вы видите продавца. Попросите его рекомендовать что-то и сделайте покупку.

Студент Б

Вы – продавец-консультант в магазине косметики

Вы сейчас на работе. Вы видите покупателя в магазине. Может быть, ему нужно что-то рекомендовать. Вам нужно продавать много косметики.

7　**а) Смотрите на фотографии. Как вы думаете, какие магазины на фото?**

- ☐ магазин подарков
- ☐ магазин косметики
- ☐ магазин музыкальных инструментов
- ☐ магазин цветов
- ☐ магазин обуви
- ☐ магазин алкогольных напитков
- ☐ магазин одежды
- ☐ магазин продуктов

б) Соотнесите изображения магазинов слева (1–8) и товары (а–з), которые там продают.

а гитары, аккордеоны, балалайки, скрипки, пианино

б вино, шампанское, коньяк, виски, ликёр

в розы, лилии, хризантемы, кактусы

г молоко, хлеб, колбаса, сыр, бананы

д джинсы, футболки, платья, свитера, юбки, брюки

е туфли, ботинки, тапочки, кроссовки

ж открытки, сувениры, книги, игрушки

з кремы, гели для душа, лосьоны, скрабы, маски

в) Вы хотите открыть магазин в Москве. Какой это будет магазин? Что вы будете там продавать? Какой будет дизайн? Пишите название вашего магазина. Придумайте логотип и слоган.

г) Делайте презентацию вашего магазина. Расскажите группе о нём.

3.2 НА РЫНКЕ

1 а) Как |
сказать, сколько времени /
to say the time

1	час	минута
2 } 3 } 4 }	часа	минуты
5–20	часов	минут

ВРЕМЯ

12 двенадцать
11 одиннадцать
1 один
2 два
3 три
4 четыре
5 пять
6 шесть
7 семь
8 восемь
9 девять
10 десять

Примеры

- Сейчас 2 часа 30 минут.
- Сейчас 10 часов.
- Сейчас 21 час.
- Сейчас час дня.

б) Скажите, сколько сейчас времени.

а) 8:00   восемь часов
б) 15:00
в) 3:00
г) 1:00
д) 21:00
е) 22:00
ё) 4:00

в) Вставляйте *час / часа / часов.*

1. Завтра в 5 _____ я иду на урок.
2. Я иду в кино в 20 _____ .
3. Мы идём в бар в 21 _____ .
4. Он едет в аэропорт в 4 _____ .

5. Он идёт в университет в 7 _____ .
6. Они идут в ресторан в 14 _____ .
7. Сегодня в 3 _____ я буду смотреть телевизор.

2 а) Грамматика |
Родительный падеж с числами /
The genitive case with numbers

1	Nominative
2 } 3 } 4 }	Genitive Singular
5–20	Genitive Plural

40

The Genitive Case (Родительный падеж)

Singular (единственное число) · Plural (множественное число)

кого? чего?

Существительные / Nouns

Singular:
согласная **+** -а   -а **→** -ы   -о **→** -а

-й, -ь **→** -я   -я, -ь **→** -и   -е **→** -я

Plural:
согласная **+** -ов

-ь **→** -ей

-ш, -щ, -ж, -ч **+** -ей   -я, -ь **→** -ей   -е **→** -ей

-й **→** -ев   -ия **→** -ий   -ие **→** -ий

Примеры

- У меня есть 2 банана.
- У меня есть 3 машины.
- У меня 3 яблока.

- У меня есть 5 бананов.
- У меня есть 5 машин.
- У меня 10 яблок.

б) Пишите слова в скобках в правильной форме.

А: Алло!
Б: Алло! Привет! Чем занимаешься?
А: Я сейчас готовлю фруктовый салат.
Б: Правда? А как ты его готовишь?
А: Очень просто. Для него мне нужны:
5 (банан) _____ , 3 (яблоко)
_____ , 2 (апельсин)
_____ , 2 (йогурт)
_____ и 1 (лимон)
_____ .
Б: Какой интересный рецепт!

в) Составьте предложения по модели.

У меня есть 1 помидор.
У меня есть 2 помидора.
У меня есть 5 помидоров.

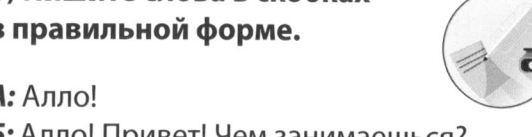

помидор   апельсин   гриб   ананас

пицца   книга   сумка   яблоко

машина

г) Смотрите на рисунок внизу и отвечайте на вопросы.

1. Сколько бананов вы видите?
   Я вижу три банана.

2. Сколько грибов вы видите?

3. Сколько апельсинов вы видите?

4. Сколько ананасов вы видите?

5. Сколько хот-догов вы видите?

6. Сколько помидоров вы видите?

7. Сколько персиков вы видите?

3 **а) Новые слова |**

Фрукты и овощи / Fruit and vegetables

- ☐ бан**а**н
- ☐ **я**блоко
- ☐ апельс**и**н
- ☐ п**е**рсик
- ☐ сл**и**ва
- ☐ анан**а**с
- ☐ грейпфр**у**т
- ☐ огур**е**ц
- ☐ помид**о**р
- ☐ п**е**рец
- ☐ баклаж**а**н

б) Спрашивайте и отвечайте.
Студент А: Что это такое?
Студент Б: Это слива.

в) Составьте предложения по модели.

- У меня есть **1** анан**а**с.
- У меня есть **2** анан**а**са.
- У меня есть **5** анан**а**сов.

> ~~ананас~~ слива апельсин
> баклажан перец персик яблоко
> грейпфрут помидор огурец банан

4 **Пишите слова в скобках в правильной форме.**

сколько	}	+ Genitive Plural
много		
мало		

1. В ресторане было 5 (стол) ___столов___ .
2. В часе 60 (минута) _____ .
3. В магазине было 2 (покупатель)
   _____ .
4. Я жду тебя уже 2 (час) _____ .
5. На столе много (книга) _____ .
6. Около дома 13 (машина)
   _____ .
7. Я купила 5 (слива) _____ ,
   и 10 (персик) _____ .
8. В магазине много (ананас)
   _____ .
9. Тут есть 11 (баклажан) _____ .
10. Нам надо для салата 4 (помидор)
    _____ .

5 **а) Грамматика |**

Исключения / Exceptions

друзья	дети
1 друг	1 ребёнок
2 друга	2 ребёнка
5 друзей	5 детей

месяцы	люди
1 месяц	1 человек
2 месяца	2 человека
5 месяцев	5 людей

б) Составьте предложения по модели.

1. доллар – 1 доллар, 3 доллара,
              12 долларов.
2. рубль –
3. друг –
4. овощ –
5. этаж –
6. ребёнок –
7. человек –
8. месяц –

6 **а) Спрашивайте и отвечайте.**

1. Что такое рынок?
2. Вы часто делаете покупки на рынке?
3. Какие фразы вы обычно говорите, когда хотите купить фрукты?

б) Мужчина пришёл на рынок. Он хочет купить фрукты. Читайте диалог. Какие фразы он использует, чтобы купить продукты?

Покупатель: Здравствуйте! Откуда эти яблоки?
Продавец: Эти из Сербии, а эти – из Сочи.
Покупатель: Я хочу эти.
Продавец: Сколько?
Покупатель: Пожалуйста, 5 яблок.
Продавец: Что-нибудь ещё?
Покупатель: Да, бананы, пожалуйста.
Продавец: Сколько бананов?
Покупатель: 6 штук.
Продавец: Хорошо. Что-нибудь ещё?
Покупатель: Да, ещё персики, пожалуйста.
Продавец: Сколько?
Покупатель: Давайте 2 килограмма.
Продавец: Это всё?
Покупатель: Да, всё. Сколько с меня?
Продавец: 482 рубля.
Покупатель: Вот, пожалуйста.
Продавец: Спасибо!
Покупатель: Спасибо вам! До свидания!

в) Отвечайте на вопросы.

1. Сколько яблок он купил?
2. Сколько бананов он купил?
3. Сколько персиков он купил?
4. Сколько стоит это всё?

7 **Ролевая игра**

Студент А

Читайте роль в 3.2–7 на стр. 153.

Студент Б

Вы – продавец на рынке. Вы видите покупателя. Он хочет что-то купить у вас. Смотрите на ваш прайс-лист. Вам надо продать фрукты и овощи. Чем больше, тем лучше *(more is better)*. Если покупатель покупает много, вы можете делать скидки *(discount)*.

ПРАЙС-ЛИСТ

- яблоки .... 50 руб/кг
- бананы .... 100 руб/кг
- огурцы .... 60 руб/кг
- помидоры .... 120 руб/кг
- баклажаны .... 80 руб/кг
- персики .... 140 руб/кг
- апельсины .... 75 руб/кг
- грейпфруты .... 85 руб/кг
- сливы .... 100 руб/кг
- ананасы .... 299 руб/шт.

В МАГАЗИНЕ ОДЕЖДЫ

1 а) Новые слова |

Одежда, обувь, аксессуары / Clothes, shoes, accessories

Соотнесите (*match*) картинки (1–22) и слова.

☐ брюки ☐ футболка
☐ джинсы ☐ галстук
☐ костюм ☐ пиджак
☐ спортивный костюм ☐ куртка
☐ юбка ☐ пальто
☐ платье ☐ шарф
☐ рубашка ☐ шапка
☐ блузка ☐ туфли
☐ свитер ☐ очки
☐ шорты ☐ кроссовки
☐ сумка ☐ часы

б) Произношение |

Произношение звонких парных согласных перед глухими согласными

звонкий парный согласный б, г, д, ж, з, в	+	глухой согласный п, к, т, ш, с, ф щ, ч, х, ц	=	[б] → [п] [г] → [к] [д] → [т] [ж] → [ш] [з] → [с] [в] → [ф]

бк = [пк] • юбка [йупка]
зк = [ск] • блузка [блуска]
вс = [фс] • встретить [фстр'эт'ит']
вк = [фк] • кроссовки [красофк'и]

в) Разделите одежду на группы.

Спортивная одежда:	спортивный костюм, футболка, шорты
Офисная одежда	
Зимняя одежда	
Обувь	
Аксессуары	

2 **Новые слова** |
В магазине / At the shop

Читайте новые слова. Угадайте значения слов из контекста.

1. прим**е**рить	Когда вы покупаете одежду, вы сначала хотите примерить её, потому что вы хотите узнать, что это ваш размер, цвет, фасон.
2. прим**е**рочная	Примерочная – это комната в магазине, где можно примерить одежду.
3. разм**е**р	Международные размеры одежды – это XXS, XS, S, M, L, XL, XXL, XXXL.
4. помен**я**ть	Если человек купил свитер, а потом понял, что это не его размер, он может поменять его в магазине.

3 **a) Читайте 3 диалога. Выберите названия для диалогов.**

Диалог 3

A: Здравствуйте, я хочу поменять этот галстук. Вот мой паспорт и чек.
Б: К сожалению, вы не можете поменять его.
A: Почему не могу?
Б: Период обмена – 2 недели, а вы купили этот галстук 15 дней назад.
A: Но сегодня ровно 2 недели. Смотрите, в чеке написано 4-ое мая, а сегодня 18-ое мая. Это ровно 14 дней.
Б: Да, вы правы. Извините!

Проблемы
☐ с математикой

☐ Разные размеры

☐ Нет примерочной

Диалог 2

A: Здравствуйте, извините, где я могу примерить это пальто?
Б: Вы знаете, у нас небольшая проблема. Дело в том, что в магазине сейчас нет примерочной. У нас ремонт.
A: И что я должна делать?
Б: Вы можете примерить это пальто в зале, если хотите.

Диалог 1

A: Здравствуйте, чем я могу вам помочь?
Б: Здравствуйте! Я хочу такие джинсы. У вас есть мой размер?
A: Какой у вас размер?
Б: 44.
A: Это 44.
Б: Это не может быть 44-ый размер! Они большие.
A: Это европейский размер. Если у вас российский размер 44, значит, у вас европейский 38.

б) Читайте ещё раз. Отметьте (√), что правда, а что нет.

	Да	Нет
1. Российский размер на 8 размеров больше, чем европейский.	☐	☐
2. У покупателя 44-ый российский размер.	☐	☐
3. В магазине есть примерочная, но там сейчас ремонт.	☐	☐
4. Можно поменять одежду в магазине в течение 14 дней.	☐	☐

в) Отвечайте на вопросы.

1. Что хочет покупатель в диалоге № 1?
2. Что хочет покупатель в диалоге № 2?
3. Что хочет покупатель в диалоге № 3?

г) Обсуждайте в группе.

У вас когда-нибудь были похожие случаи (incidents) в магазине? Расскажите о них.

д) Читайте диалоги ещё раз. Пишите аргументы, которые использует продавец.

• Если у вас российский размер 44, значит, у вас европейский 38.
‗‗‗‗‗‗‗‗‗‗‗‗‗‗‗‗‗‗‗‗‗‗‗

• ‗‗‗‗‗‗‗‗‗‗‗‗‗‗‗‗‗‗‗‗‗‗‗
‗‗‗‗‗‗‗‗‗‗‗‗‗‗‗‗‗‗‗‗‗‗‗
‗‗‗‗‗‗‗‗‗‗‗‗‗‗‗‗‗‗‗‗‗‗‗
‗‗‗‗‗‗‗‗‗‗‗‗‗‗‗‗‗‗‗‗‗‗‗

• ‗‗‗‗‗‗‗‗‗‗‗‗‗‗‗‗‗‗‗‗‗‗‗
‗‗‗‗‗‗‗‗‗‗‗‗‗‗‗‗‗‗‗‗‗‗‗
‗‗‗‗‗‗‗‗‗‗‗‗‗‗‗‗‗‗‗‗‗‗‗

4 а) Произношение |
Разница между «больше» и «большой» / The difference between "bigger" and "big".

Читайте мини-диалог. Обратите внимание (pay attention) на разницу (difference) произношения между «большой» и «больше».

① Это слишком больш**о**й размер. Можно примерить вот эту юбку?

② Но эта юбка ещё б**о**льше! У нас нет юбки меньше.

б) Слушайте фразы и вставляйте «большой» или «больше».

3.3–4

1. Эти джинсы ‗‗‗‗больше‗‗‗‗ , чем эти.
2. Этот свитер слишком ‗‗‗‗‗‗‗‗‗‗ .
3. В магазине нет размеров ‗‗‗‗‗‗‗‗ чем 52.
4. У вас в магазине нет примерочной комнаты. Как я могу знать, что этот костюм не слишком ‗‗‗‗‗‗‗‗‗ ?
5. Что вы любите ‗‗‗‗‗‗‗‗‗‗‗ :
6. формальный или неформальный стиль одежды?
7. Я ‗‗‗‗‗‗‗‗‗‗‗ не хочу ждать.
8. Это очень ‗‗‗‗‗‗‗‗‗‗ магазин. Там 6 этажей.
9. Я думал, что старый офис ‗‗‗‗‗‗‗‗ , но наш новый офис ещё ‗‗‗‗‗‗‗‗‗ .
10. Размер 48 ‗‗‗‗‗‗‗‗ , чем 46.

5   а) Как |
объяснить что-то / to explain something

Читайте текст. Что хочет знать мужчина?

Здравствуйте! Вы можете мне помочь? <u>Дело в том, что</u> у вас тут две пары ботинок. Они абсолютно одинаковые, но цена у них разная. Почему так?

1900 руб.

6800 руб.

б) Что вы скажете в этих ситуациях? Используйте фраза «дело в том, что».

1. Вы сейчас в магазине. Вы хотите купить костюм. Но вы не знаете, какой у вас размер. Попросите продавца помочь вам.

2. Вы купили в магазине вещи, но вы забыли *(forgot)* пакет с одеждой на кассе и ушли. Вы вернулись *(returned)* в магазин. Объясните ситуацию продавцу.

3. Вы нашли на улице сумку. Там есть мобильный телефон. Вы хотите вернуть *(to return)* сумку. Звоните по телефону и объясните ситуацию.

4. Вчера вы купили брюки. Сейчас вы понимаете, что они вам не нравятся. Вы хотите поменять их.

5. Вы сейчас на кассе. Вы хотите купить рубашку. И в этот момент вы понимаете, что забыли деньги дома. Что вы скажете?

6   а) Грамматика |
Родительный падеж. Отсутствие / The genitive case. Lack

кого? чего?

Это Тамара.

У Тамары есть синий свитер.
У Тамары <u>нет</u> красн<u>ого</u> свитер<u>а</u>.

Это Стив.

У Стива есть чёрная машина.
У Стива <u>нет</u> красн<u>ой</u> машин<u>ы</u>.

б) Составьте предложения по модели.

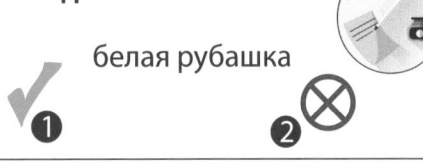

белая рубашка

❶   ❷

1. У меня есть белая рубашка.
2. У меня нет белой рубашки.

новый костюм

❸   ❹

_____
_____
_____

вечернее платье

❺   ❻

_____
_____
_____

офисные костюмы

❼   ❽

_____
_____
_____

в) Ответьте отрицательно *(negatively)*
на вопросы.

1. У вас есть большая собака?
   Нет, у меня нет большой собаки.
2. У вас есть белые рубашки?
3. В магазине есть примерочная комната?
4. У вас есть тёплый свитер?
5. У вас есть вопросы?
6. Извините, у вас есть часы?
7. У вас есть красные яблоки?
8. У вас есть длинные юбки?

**г) Смотрите на эти картинки. Чего
нет на картинке номер 2?**

**7   а) Читайте диалог.
     Отвечайте на вопросы.**

1. Какой размер покупает клиент?
2. Какие размеры есть в магазине?
3. Какие размеры у них будут завтра?

А: Извините, у вас есть такие джинсы размера XL?
Б: К сожалению, нет. Только S, M и L.
А: Понятно. Спасибо!
Б: Вчера у нас были такие джинсы XL и XXL, но их купили. Завтра у нас будут все большие размеры: XL, XXL, XXXL.
А: Хорошо! Спасибо! Я приду завтра.

б) Читайте диалог по ролям.

8   Ролевая игра

Студент А — читайте роль
в 3.3–8 на стр. 154.

Студент Б

Вы – покупатель в магазине одежды. Вы хотите купить синие джинсы. Ваш размер – L. Вы видите много интересных моделей. Но вы не понимаете размеры. Это российские размеры. Вам надо узнать *(find out)*:

• какой ваш размер по росийской системе;
• есть ваш размер в магазине или нет;
• где можно примерить джинсы;
• сколько стоят джинсы.

1   Какое слово лишнее? Почему?

1. крем / шампунь / зубная паста / ~~банан~~
2. свитер / персик / галстук / шорты
3. слива / баклажан / рубашка / огурец
4. шапка / брюки / джинсы / шорты
5. апельсин / помидор / грейпфрут / лимон
6. свитер / рубашка / блузка / шарф

2   Меняйте предложения по модели.

1. У меня есть новые костюмы.
   У меня нет новых костюмов.
   _____

2. У него есть хорошие друзья.
   _____
   _____

3. У неё есть большая машина.
   _____
   _____

4. У них есть тёплые свитера.
   _____
   _____

5. В городе есть хорошие рестораны.
   _____
   _____

6. У меня есть планы на выходные.
   _____
   _____

7. У меня есть вопросы.
   _____
   _____

3   Составьте предложения.

1. это / сюрприз / для / мои / друзья
   Это сюрприз для моих друзей.
   _____

2. около / парки / всегда / есть / кафе
   _____

3. как / ты / жить / без / шоколад / ?
   _____
   _____

4. у / мы / нет / варианты
   _____
   _____
   _____

4   Пишите, сколько вещей вы тут видите.

Тут четыре свитера.

_____

_____

_____

5   Работа с видео (видео 3)

Ссылка на видео:
https://www.youtube.com/user/AnastasiSemina
Автор сценария сюжета – Рахиль Брускова

а) В видеосюжете Анастасия идёт в кафе. Прочитайте текст об этом кафе и отвечайте на вопросы.

1. Какое это кафе?
2. Где находится кафе «Ла Челлетта»?
3. Какие там предлагают блюда?

Кафе «Ла Челлетта» находится в Санкт-Петербурге. Это итальянское кафе, которое предлагает классические итальянские блюда: пасту, пиццу, лазанью, а также десерты: тирамиссу, панакота, крема каталана.

б) Новые слова
Угадайте значение слов из контекста.

открыть	Было жарко. Поэтому мы <u>открыли</u> окно.
имя	Меня зовут Мария. = Моё <u>имя</u> Мария.
название	<u>Название</u> – это имя вещей (ресторана, фильма, книги, города).
назвать в честь	Мою бабушку звали Мария. Меня <u>назвали в честь</u> бабушки.
посоветовать	<u>посоветовать</u> = рекомендовать
разные цвета	Красный, зелёный, жёлтый – это <u>разные цвета</u>.
4 времени года	Есть <u>4 времени года</u>: весна, лето, осень, зима.
гора	В Африке есть <u>гора</u> Килиманджаро.
зал	<u>Зал</u> – это большая комната, где можно заниматься спортом, смотреть кино, слушать концерты.

в) Грамматика | Пассивные конструкции

активная	пассивная
• Люди закрывают двери. • Люди продают сувениры.	• Двери закрываются. • Сувениры продаются.

Поменяйте предложения по модели.

1. Люди открыли кафе.
   Кафе открылось.
2. Люди продают книги.
3. Магазин закрывают в 8 часов.

г) Идиома | С головы до ног

Он с головы до ног в чёрном.
Я изучила его с головы до ног.

д) Смотрите видеосюжет. Отвечайте на вопросы.

1. Когда открылось кафе?
2. Что означает название кафе по-итальянски?
3. Кто по национальности шеф-повар?
4. Почему у шеф-повара русское имя?
5. Какие блюда рекомендует попробовать шеф-повар?
6. Какие цвета у интерьера кафе? Почему?

е) Говорите.
Вы хотите открыть свой ресторан. Какой он будет (кухня, дизайн, название)?

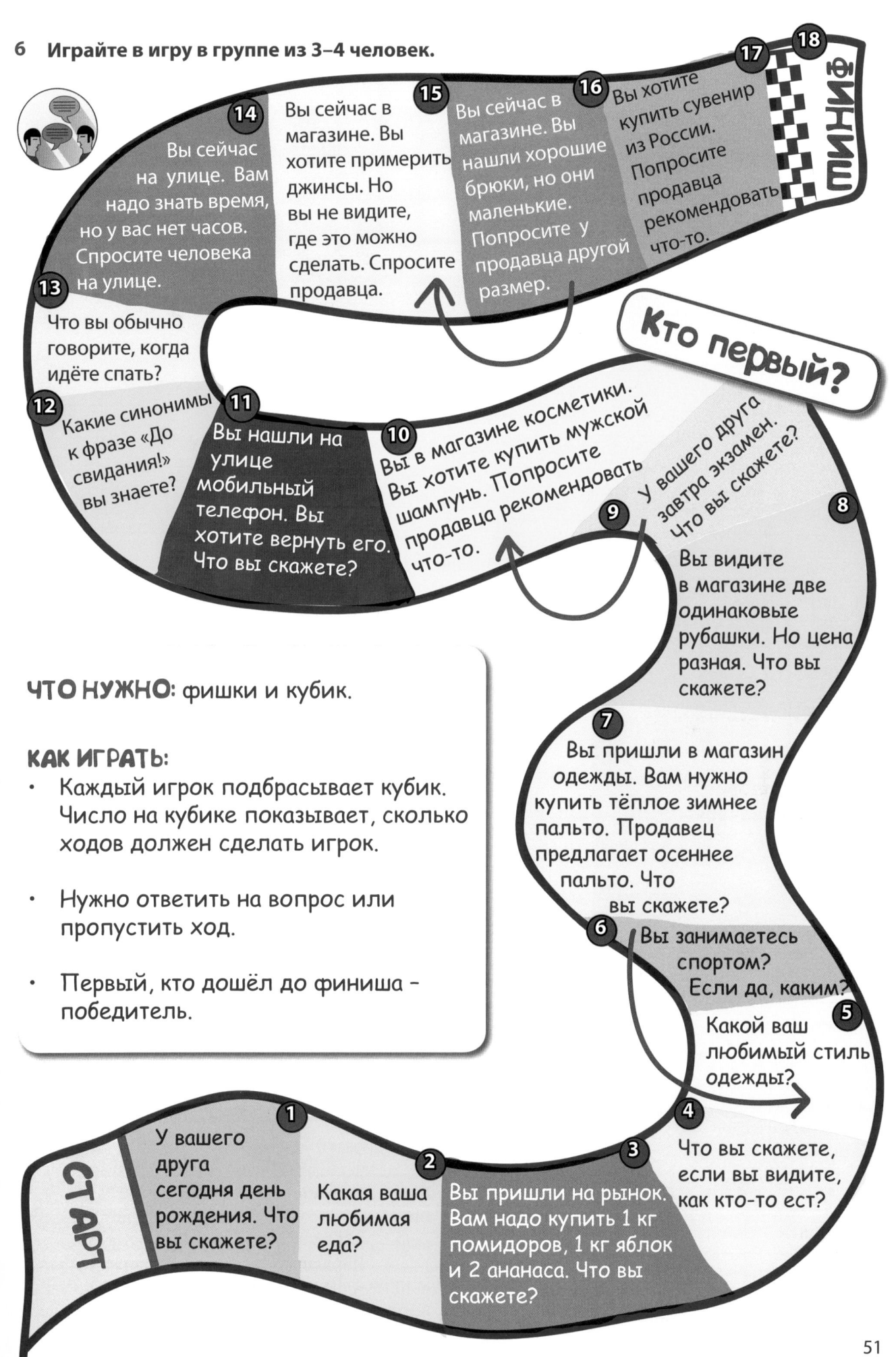

14 Вы сейчас на улице. Вам надо знать время, но у вас нет часов. Спросите человека на улице.

15 Вы сейчас в магазине. Вы хотите примерить джинсы. Но вы не видите, где это можно сделать. Спросите продавца.

16 Вы сейчас в магазине. Вы нашли хорошие брюки, но они маленькие. Попросите у продавца другой размер.

17 Вы хотите купить сувенир из России. Попросите продавца рекомендовать что-то.

18 ФИНИШ

13 Что вы обычно говорите, когда идёте спать?

12 Какие синонимы к фразе «До свидания!» вы знаете?

11 Вы нашли на улице мобильный телефон. Вы хотите вернуть его. Что вы скажете?

10 Вы в магазине косметики. Вы хотите купить мужской шампунь. Попросите продавца рекомендовать что-то.

Кто первый?

У вашего друга завтра экзамен. Что вы скажете?

8 Вы видите в магазине две одинаковые рубашки. Но цена разная. Что вы скажете?

9

ЧТО НУЖНО: фишки и кубик.

КАК ИГРАТЬ:

- Каждый игрок подбрасывает кубик. Число на кубике показывает, сколько ходов должен сделать игрок.

- Нужно ответить на вопрос или пропустить ход.

- Первый, кто дошёл до финиша – победитель.

7 Вы пришли в магазин одежды. Вам нужно купить тёплое зимнее пальто. Продавец предлагает осеннее пальто. Что вы скажете?

6 Вы занимаетесь спортом? Если да, каким?

5 Какой ваш любимый стиль одежды?

1 У вашего друга сегодня день рождения. Что вы скажете?

2 Какая ваша любимая еда?

3 Вы пришли на рынок. Вам надо купить 1 кг помидоров, 1 кг яблок и 2 ананаса. Что вы скажете?

4 Что вы скажете, если вы видите, как кто-то ест?

СТАРТ

4 СКОРО В ОТПУСК

А
Б
В
Г
Д

1 Обсуждайте в группе.

- Вы любите путешествовать?
- Какой отдых вы любите (пляжный, на природе, смотреть новые города, отдыхать дома)?
- Куда вы хотите поехать в отпуск? Почему?

2 а) Новые слова |
Природа / Nature

Читайте новые слова. Соотнесите (match) фотографии (стр. 52–53) и слова.

☐ мо́ре	☐ о́зеро	☐ лес	☐ го́ры	☐ пляж
☐ водопа́д	☐ река́	☐ пусты́ня	☐ океа́н	

б) Показывайте на фотографии.
Спрашивайте и отвечайте.

Студент А: Что это?
Студент Б: Это водопад.

3 Произношение |
Редукция. Безударная О = [а]

	дом – [дом]	мо́ре – [мо́р'э]
[о]	он – [он]	го́ры – [го́ры]
	мой – [мой]	о́тпуск – [о́тпуск]
[а]	молоко́ – [малако́]	отли́чно – [атл'и́чна]
	хорошо́ – [харашо́]	о́зеро – [о́з'ира]
	водопа́д – [вадапа́т]	океа́н – [ак'иа́н]

В ОТПУСКЕ

4   **а) Мария и Константин недавно были
в отпуске. Они рассказали, где они были.
Читайте их истории и отвечайте на вопросы.**

1. Где они были?
2. Что им понравилось / не понравилось?

Журнал ВАШ ОТПУСК

ПОСЛЕ ЭТОГО ОТПУСКА МНЕ НУЖНО ОТДЫХАТЬ

На прошлой неделе мы попросили вас рассказать
нам об отпуске, после которого вам был нужен ещё
один отпуск. Вот ваши письма.

Мария, 28 лет

4 года назад я поехала в отпуск с подругой. Мы
хотели посмотреть Париж. Моя подруга очень
любит музеи, она любит смотреть города.
А я предпочитаю пляжный отдых. Я люблю быть
на пляже у моря и ничего не делать весь день.
В результате мы посмотрели всё, что можно
в городе. Я так устала, что после этого отпуска
мне было нужно отдыхать ещё две недели.

Константин, 34 года

5 лет назад я пошёл в поход с группой туристов
в горы. Я был там с девушкой. Мы спали в лесу
в палатке. Каждый день мы много шли пешком
с рюкзаками. Я шёл и думал: «Какой красивый
лес! Как мне нравится тут!» А моя девушка шла
и всегда говорила: «О, Боже! Это ужасно! Плохая
погода! Комары! Зачем я поехала в горы?!»
Больше мы вместе не отдыхали.

б) Обсуждайте (*discuss*), какой ваш идеальный компаньон для отпуска.

**в) Читайте текст ещё раз. <u>Подчеркните</u> все глаголы (*verbs*) в прошедшем
времени (*in the past tense*).**

5 **а) Грамматика |**
Вид глагола. Прошедшее время /
Aspects of verb. The past tense

префикс +

	Imperfect (НСВ)		Perfect (СВ)	
Прошедшее время	• много раз • процесс		• 1 раз • результат	
	он	менял	он	поменял
	она	меняла	она	поменяла
	оно	меняло	оно	поменяло
	они	меняли	они	поменяли
Индикаторы	всегда, часто, иногда, редко, никогда, каждый день, раз в месяц, долго, 2 часа, целый день, целый месяц		уже, ещё не, однажды, один раз	

Примеры

- Я поменял отель. И теперь у меня всё хорошо. Тут отличный сервис.
- В детстве я часто менял школы.
- Вчера я решил поменять номер в гостинице. Я так долго его менял!

б) Пишите слова в скобках в правильной форме.

1. Я (звонил — позвонил) _____ тебе вчера 3 раза.
2. Я (меняла — поменяла) _____ это платье. Теперь у меня идеальное платье!
3. Я (ехал — поехал) _____ на метро 40 минут.
4. Вчера вечером я (смотрел — посмотрел) _____ этот фильм.
5. Мои друзья (дарили — подарили) _____ мне подарок на день рождения.
6. Я (думал — подумал) _____ вчера об этом 3 часа.

в) Пишите слова из рамки в правильной форме.

звонить	слушать	~~менять~~
завтракать	смотреть	дарить

1. Вчера я купил брюки, а потом дома понял, что они маленькие. Сегодня утром я ___поменял___ их.
2. Я _____ тебе 2 раза, но ты не отвечал.
3. Я _____ новости по радио и пошёл на работу.
4. Я _____ этот фильм 2 раза.
5. Я ещё не _____ вам подарок.
6. Я не хочу есть. Я уже _____.

Запомните!

читать – прочитать
писать – написать
делать – сделать
видеть – увидеть
ждать – подождать

6 **а) Отвечайте отрицательно (*negatively*) по модели.**

1. Вы уже посмотрели этот фильм?
   Нет, я ещё не посмотрел этот фильм.
2. Вы уже прочитали эту книгу?
3. Вы уже поменяли тот костюм?
4. Вы уже написали письмо?
5. Вы уже сделали это задание?
6. Вы уже позвонили ему?

б) Отвечайте отрицательно (*negatively*) по модели.

1. Вы уже посмотрели этот фильм?
   Нет, я сейчас смотрю его.
2. Вы уже прочитали эту книгу?

54

3. Вы уже поменяли тот костюм?
4. Вы уже написали письмо?
5. Вы уже сделали это задание?
6. Вы уже подарили ему подарок?
7. Вы уже позвонили ему?

7   а) Как |

спросить об отпуске / to ask about vacation

Читайте диалог. Найдите фразу, которую нужно использовать, если вы хотите спросить об отпуске.

Привет! Как прошёл твой отпуск? Тебе понравилось?

Да! Мне очень понравилось! Мексика – это рай!

б) Вставляйте пропущенные слова по модели.

1. Как __прошёл__ твой отпуск?
2. Как _____ твой экзамен?
3. Как _____ твоя презентация?
4. Как _____ вечеринка?
5. Как _____ твоё совещание?
6. Как всё _____ ?
7. Как _____ твои выходные?
8. Как _____ урок?

8   а) Коллеги разговаривают. Послушайте их диалог и исправьте предложения.

1. Девушка была в отпуске.
2. Отпуск был в Индонезии.
3. Местная еда была невкусная.
4. Девушка была не рада видеть его.

б) Прочитайте диалог и найдите синоним слова «отлично».

А: Привет! Как давно я тебя не видела! Ты где был?

Б: Я был в отпуске. Вчера приехал из Индии.

А: И как прошёл твой отпуск? Там было что-то интересное?

Б: Очень много интересного! Люди, кухня, культура, архитектура! Мне очень понравилось в Индии!

А: Здорово! Я рада, что тебе понравилось!

9   Ролевая игра

Вчера вечером вы приехали из отпуска. А сегодня вы увидели в офисе друга, который тоже вчера приехал из отпуска. Вам интересно, где он был и что он видел. Спрашивайте его про его отпуск.

Студент А – читайте роль в 4.1–9 на стр. 154.

Студент Б

Вы недавно были в отпуске. Вы были в Бразилии. Вы всегда мечтали увидеть известный водопад «Игуасу». Это очень красивый комплекс из 270 водопадов. Вы никогда раньше не видели такой красивый водопад. Интересно, а где был ваш друг в отпуске и что он видел?

4.2 В ГОСТИНИЦЕ

1   **а) Как |**
зaбронировать / to book

Прочитайте, что говорит Виктория. Какая фраза нужна, чтобы забронировать (to book) столик в ресторане?

> Здравствуйте! Можно забронировать столик на сегодня на 6 часов вечера на четыре персоны?

б) Вам нужно забронировать это. Что вы скажете?

- Столик на 2 персоны на 8 часов. Можно забронировать столик на 8 часов на две персоны?
- Дорожка в боулинге на 5 часов.
- Номер в гостинице на 2 персоны.

2   **а) Новые слова |**
В гостинице / At the hotel

Посмотрите рекламные брошюры отелей (стр. 56–57). Угадайте, что значат эти слова:

1. одноместный номер
2. двухместный номер
3. включён / включена / включено / включены

Мария

Гостиница вашей мечты!

Типы номеров:

Одноместный номер	5000 ₽
Двухместный номер	5500 ₽
Двухместный «люкс»	9000 ₽

ИДЕАЛ

В каждом номере есть кондиционер, телевизор, мини-бар, wi-fi.

• Одноместный номер	3000 р.
• Двухместный номер	3500 р.
• Трёхместный номер	4000 р.

Всё включено + 3500 р. / день

б) Посмотрите рекламные брошюры отелей. Прочитайте информацию о них. Скажите, какая гостиница вам нравится больше и почему.

в) Вы с друзьями хотите поехать отдыхать. Вам нужно выбрать гостиницу, позвонить и забронировать номер(а) на 3 персоны. Пишите, что вы скажете.

_____
_____
_____
_____
_____
_____

Отель ЕВРОПА

Современный отель для всей семьи

Одноместный номер 3800 р.
Двухместный номер 4000 р.
Трёхместный номер 4200 р.

- Завтрак включён
- Конференц-зал
- Бесплатная парковка

Русский ДВОРИК

Рядом есть лес и озеро, фитнес-центр, спа-центр, 3 ресторана.

Одноместный номер **3100 ₽**

Двухместный номер **3600 ₽**

Двухместный «люкс» **7500 ₽**

Завтрак включён + 1100 р. / день

3 **а) Анна и Михаил разговаривают. Читайте их диалог и скажите, куда хотят поехать Анна и Михаил.**

А: Куда поехать на выходные?

М: А что ты хочешь? Лес, море, горы или экскурсионный тур в историческое место?

А: Только не экскурсии! Я хочу отдыхать на природе!

М: Хорошо! Давай! Сколько стоит номер на 2 дня в отеле на озере?

А: Я не знаю. Надо посмотреть в Интернете. Вот, смотри! Отличное предложение! Мы можем поехать завтра.

М: Завтра? 10-ого июня? У меня конференция. Я буду дома поздно. Давай 11-ого июня.

А: Хорошо! Давай 11-ого.

б) Отвечайте на вопросы.

1. Какого числа Анна хотела поехать отдыхать сначала?
2. Какого числа Михаил и Анна решили поехать в результате?
3. Какое число было в момент их разговора?

4   а) Грамматика |
Родительный падеж. Даты / The genitive case. Dates

Какое сегодня число?	Какого числа? = Когда?
• первое мая	• первого мая
• пятое марта	• пятого марта
• десятое сентября	• десятого сентября
• двадцать третье февраля	• двадцать третьего февраля

б) Произношение | Г = [В]

• первого мая – [п'эрвава_майа]
• пятого марта – [п'атава_марта]

в) Отвечайте на вопросы по модели.

1. Когда вы едете в отпуск? (24 июня)
   Я еду в отпуск двадцать четвёртого июня.
2. Когда у вас вечеринка? (15 января)
3. Когда у вас конференция? (31 марта)
4. Когда вы идёте в поход? (15 ноября)
5. Когда вы идёте на концерт? (2 февраля)
6. Какого числа вы приехали в Москву? (31 августа)
7. Какого числа у вас презентация? (12 июля)
8. Какого числа вы едете в Люксембург? (22 июня)
9. Какого числа вы едете в Таиланд? (12 октября)
10. Какого числа вы едете в Торонто? (1 декабря).

г) Когда у них день рождения?

Андрей, 17 / 10

Артём, 30 / 11

Инна, 3 / 06

Нина, 18 / 11

Вика, 10 / 03

Даниил, 17 / 12

Юлия, 29 / 11

д) Когда у вас день рождения?

5 Ролевая игра

Вы с другом хотите вместе поехать в отпуск. Но вы оба очень заняты. Смотрите на ваш календарь. Красный цвет значит, что в эти дни вы работаете. Это значит, вы не можете ехать в это время в отпуск. Ваш друг тоже очень занят. Решите, когда вы можете вместе поехать в отпуск и на сколько дней.

Студент А – ваш календарь в 4.2–5 на стр. 154.

Студент Б

	июнь 2017					
ПН	ВТ	СР	ЧТ	ПТ	СБ	ВС
29	30	31	1 •	②	3 •	4 •
5	6	7	8	9	10 •	11 •
12 •	13 •	14 •	15 •	16 •	17 •	18 •
19 •	20 •	21	22	23	24	25
26 •	27 •	28	29	30		

6 а) Как |

поменять даты бронирования/
to change the booking dates

Алло! Здравствуйте! Меня зовут Марк. Я забронировал номер с 10-ого по 13-ое августа. Я хочу поменять даты бронирования.

б) Поменяйте даты по модели.

1. было 10.03 –13.03, поменять на 11.03 – 14.03.

Я забронировал(а) номер с 10-ого по 13-ое марта. Я хочу поменять даты бронирования. Я хочу забронировать номер с 11-ого по 14-ое марта.

2. было 20.05 –22.05, поменять на 27.05 – 29.05.

3. было 31.12 –10.01, поменять на 1.01 – 10.01.

4. было 10.10 –17.10, поменять на 17.10 – 24.10.

7 Ролевая игра

Студент А.
Макс — гость отеля

Вы с друзьями хотите поехать в Подмосковье на 3 дня. Вчера вы забронировали в гостинице 2 номера на три человека: 1 двухместный номер и 1 одноместный номер. Вы забронировали гостиницу с 16.06 по 18.06. Но вы поменяли планы: будут 4 человека, и вы хотите поехать с 22.06 по 24.06. Вам надо позвонить в отель и объяснить ситуацию.

Студент Б.
Диана — администратор отеля

Вы – администратор в отеле. Вы бронируете номера для клиентов. Очень часто люди звонят и меняют даты бронирования. Сейчас звонит клиент, он что-то хочет поменять. Его зовут Макс. Он забронировал 1 двухместный и 1 одноместный номер с 16.06 по 18.06. Вам нужно помочь *(to help)* ему.

4.3 ПЛАНЫ НА ОТПУСК

1 **а) Прочитайте рекламные брошюры и выберите, куда вы хотите поехать в отпуск.**

МОЗАМБИК

Добро пожаловать в Африку! Вы откроете для себя сафари, увидите многих животных Африки. Львы, зебры и слоны ждут вас в гости!

Туда
10/08

Обратно
24/08

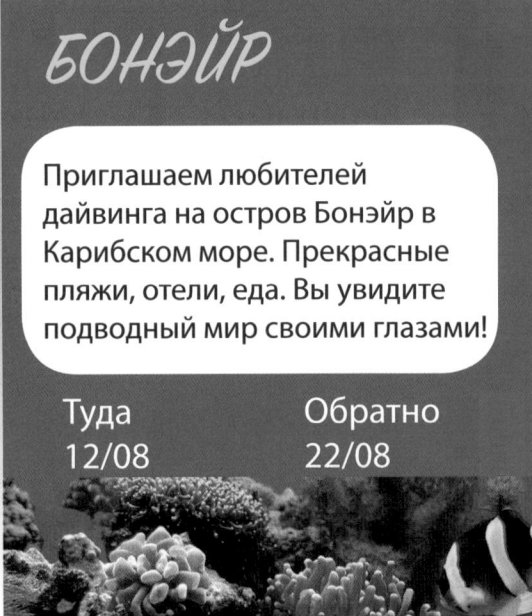

БОНЭЙР

Приглашаем любителей дайвинга на остров Бонэйр в Карибском море. Прекрасные пляжи, отели, еда. Вы увидите подводный мир своими глазами!

Туда	Обратно
12/08	22/08

б) Представьте (*Imagine*), что вы приехали из этого отпуска (Мозамбик или Бонэйр). Расскажите, где вы были и что вы видели.

в) Обсуждайте в группе. Расскажите, куда вы хотите поехать в отпуск. Отвечайте на вопросы.

1. Куда вы поедете в отпуск?
2. Что вы хотите там посмотреть?
3. Когда вы поедете в отпуск?
4. Когда вы приедете обратно?

г) Расскажите, какие планы на отпуск у вашего соседа (*neighbour*).

2 **а) Грамматика |**
Вид глагола. Будущее время /
Aspects of verb. The future tense

Прочитайте, что говорит Марк. Почему он рад?

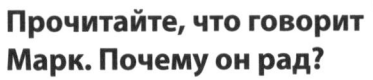

Я поеду в отпуск 25-ого марта. Я поеду в Мозамбик. Я увижу жирафов, зебр, слонов и многих других животных. Я так рад!

б) Какая разница между этими предложениями?

1. Я буду читать книги каждый день.
2. Я прочитаю эту книгу до пятницы.

Imperfect (НСВ)	Perfect (СВ)
• много раз	• 1 раз
• процесс	• результат

я	буду		я	посмотрю
ты	будешь		ты	посмотришь
он / она	будет	смотреть	он / она	посмотрит
мы	будем		мы	посмотрим
вы	будете		вы	посмотрите
они	будут		они	посмотрят

Примеры

Я буду смотреть телевизор 2 часа.
Я буду смотреть телевизор каждый день.

Я посмотрю утром телевизор и пойду на работу.

в) Поменяйте прошедшее время на будущее время по модели.

1. Я увидел новый город.
   Я увижу новый город.
2. Я поехал в отпуск 21-ого января.
3. Я пошёл в парк вечером.
4. Я поменял планы.
5. Я прочитал книгу.
6. Я написал письмо.
7. Я подумал об этом.
8. Я сделал это сам.

г) Выберите правильное будущее время (НСВ или СВ).

1. Я (смотреть – посмотреть) этот фильм 2 часа.
   Я буду смотреть этот фильм 2 часа.
2. Я (ехать – поехать) завтра в отпуск.
3. Мы (идти – пойти) вместе в кино.
4. Я (писать – написать) эту статью целый вечер.
5. Я (читать – прочитать) завтра твоё письмо.

д) Напишите на бумаге ваши планы на эту неделю (3–5 планов). Расскажите партнёру (*tell your partner*) о планах (*about your plans*). Потом поменяйтесь ролями (*then swap roles*).

3 **Ролевая игра**
Вы – туристический гид. Вам нужно спланировать маршрут для туристов. Посмотрите на карту. Прочитайте информацию. Расскажите, куда вы пойдёте с туристами и что вы увидите.

Пример
Сначала мы пойдём в горы.
Вы увидите своими глазами старый город. А потом мы пойдём на озеро. Там живут красивые птицы. А потом мы пойдём в лес в горы. Там очень красивая природа!

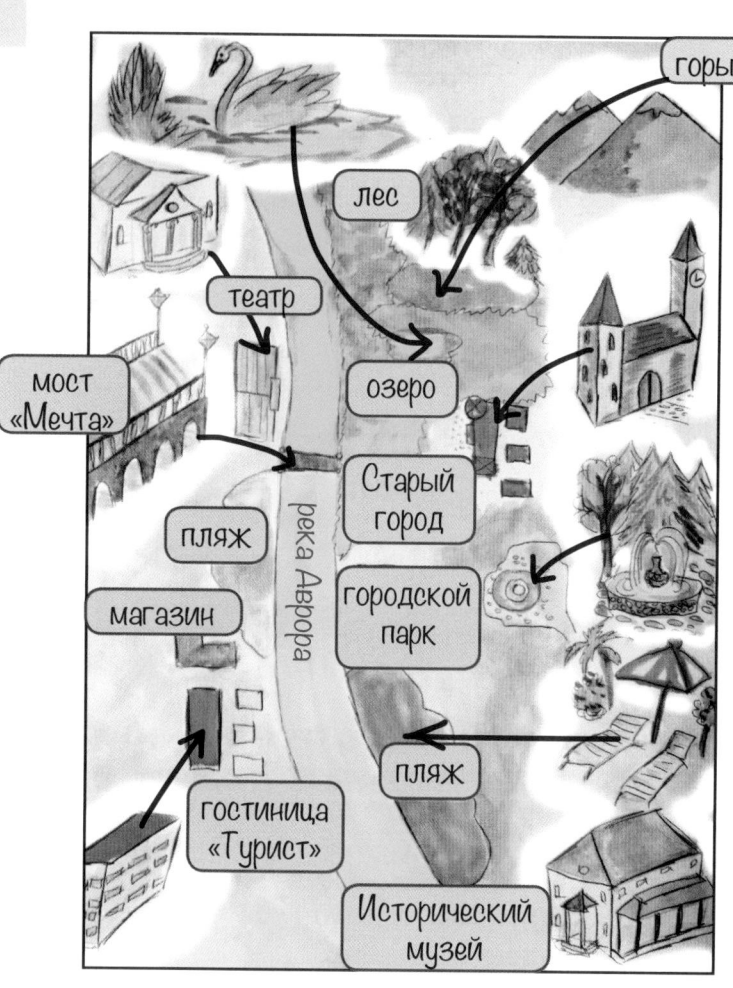

4 a) Новые слова |

Глаголы, образующие форму СВ по-другому / Verbs forming the perfective aspect differently

Послушайте новые слова и <u>подчеркните</u> ударение *(stress).*

открыв**а**ть   закрыв**а**ть   покуп**а**ть   продав**а**ть

встреч**а**ть   выбир**а**ть   говор**и**ть   расск**а**зывать

б) Соедините формы НСВ (1–8) и СВ (а–з).

1. открыв**а**ть   а) в**ы**брать
2. закрыв**а**ть   б) откр**ы**ть
3. продав**а**ть   в) закр**ы**ть
4. покуп**а**ть   г) рассказ**а**ть
5. встреч**а**ть   д) куп**и**ть
6. выбир**а**ть   е) встр**е**тить
7. говор**и**ть   ж) сказ**а**ть
8. расск**а**зывать   з) прод**а**ть

в) Работа в парах. Студент А называет глагол НСВ, а студент Б называет его пару СВ.

Пример
Студент А: открывать
Студент Б: открыть

г) <u>Подчеркните</u> правильный вариант.

1. Что ты (выбирал — <u>выбрал</u>): ты будешь работать в этой компании или нет?
2. Он (рассказывал — рассказал) мне правду.
3. Ты каждый день (встречался — встретился) с друзьями.
4. Вы уже (покупали — купили) новый дом?
5. Я вчера (встречал — встретил) друга в метро.
6. Они (закрывали — закрыли) этот магазин.
7. Он всегда (говорил — сказал) правду.
8. Ты никогда не (покупал — купил) этот продукт.
9. Продавец уже (продавал — продал) все продукты.
10. В комнате было жарко, поэтому я (открывал — открыл) окно.

д) Вставляйте глаголы из № 4б в прошедшем времени.

1. Было жарко, поэтому я ____открыл____ окно. Обычно я не _____ окна в комнате.
2. Было холодно, поэтому я _____ окно.
3. Я _____ мой старый дом и купил новый.
4. Я_____ новый телефон. Смотри, какой красивый!
5. Вчера в парке я _____ твоего брата. Я никогда раньше не видел его там.
6. У меня был выбор, куда поехать в отпуск. И я _____ Копенгаген.
7. Мы _____ по телефону 2 часа.
8. Он _____ шампанское.

б) Вставляйте глаголы из № 5а в в будущем времени.

1. Я ____расскажу____ вам эту историю.
2. Тут слишком жарко. Вы не против, если я _____ окно?
3. Мы _____ еду в супермаркете после работы.
4. Мы посмотрим каталог и _____ фасон костюма, который нам понравится.
5. Я _____ этот дом, и у меня будут деньги.
6. Тут очень холодно. Вы не против, если я _____ окно?
7. Я подумаю и _____ тебе завтра.
8. Ты _____ меня завтра в аэропорту?
9. Я _____ этот продукт, если вы сделаете скидку.

5 а) Грамматика |
Совершенный вид. Будущее время. Новые глаголы / Perfective aspect. The future tense. New verbs

Пишите глаголы.

открыть		закрыть		продать		купить	
я	открою	я	закрою	я	продам	я	куплю
ты	откроешь	ты	_____	ты	продашь	ты	купишь
он	_____	он	_____	он	продаст	он	_____
мы	_____	мы	_____	мы	продадим	мы	_____
вы	_____	вы	_____	вы	_____	вы	_____
они	откроют	они	_____	они	продадут	они	купят

выбрать		встретить		сказать		рассказать	
я	выберу	я	встречу	я	скажу	я	расскажу
ты	выберешь	ты	встретишь	ты	скажешь	ты	_____
он	_____	он	_____	он	_____	он	_____
мы	_____	мы	_____	мы	_____	мы	_____
вы	_____	вы	_____	вы	_____	вы	_____
они	выберут	они	встретят	они	_____	они	_____

6   **а) Как |**
предложить делать что-то вместе /
to offer to do something together

давай(те) + • НСВ (Инфинитив)
• СВ (форма МЫ)

Примеры

- Давай(те) работать.
- Давай(те) поработаем.

б) Работайте в парах. Предложите друг другу (each other) делать это вместе.

1. идти в бар   Давай пойдём в бар.
2. работать
3. идти в поход
4. смотреть футбольный матч
5. изучать русский язык
6. кататься на лыжах
7. обедать вместе

7   **а) Они хотят поехать вместе в отпуск. Послушайте и скажите, куда они поедут.**  4.3–7

б) Послушайте ещё раз и впишите пропущенные слова.

А: Давай _____ в поход в лес. Это будет здорово!

Б: А может быть, будет лучше, если мы _____ в круиз?

А: Ну, не знаю... Я не очень люблю море. А давай пойдём в горы!

Б: Я не очень люблю горы. А что если мы _____ на карнавал в Бразилию? Мой друг _____ , что он был там в прошлом году и ему очень понравилось. Он сказал, что это был лучший отпуск в его жизни.

А: Давай! Будет здорово! Мы _____ много интересных людей, _____ отличное шоу и _____ много сувениров.

Б: Давай _____ хороший отель. Вот, смотри, на сайте отличный вариант.

в) В упражнении есть ответы. Напишите вопросы.

1. ___Что она не хочет делать?___
— Она не хочет идти в поход.
2. _____
— Она не хочет ехать в круиз.
3. _____
— Она не любит горы.
4. _____
— Они увидят отличное шоу, встретят интересных людей и купят много сувениров.

г) Прочитайте диалог по ролям.

8   **Ролевая игра**

Вы и ваш друг хотите поехать вместе в отпуск. У вас разные вкусы. Но вам нужно решить вместе и договориться.

Студент А —
читайте роль в 4.3–8 на стр. 155.
Студент Б —
читайте роль в 4.3–8 на стр. 156.

ОБЗОР
Глава 4. СКОРО В ОТПУСК

1 Выберите правильный вариант ответа.

1. Завтра я … в отпуск.

а) иду
б) пойду
в) буду ехать
г) поеду
д) буду идти

2. Вчера я … письмо 2 часа.

а) пишу
б) писал
в) написал
г) напишу
д) буду писать

3. Сейчас я … телевизор и пью кофе.

а) смотрю
б) посмотрел
в) посмотрю
г) смотрел
д) буду смотреть

4. Это интересная книга. Я уже … её.

а) читать
б) прочитал
в) прочитаю
г) прочитали
д) буду читать

2 Пишите предложения, как показано в примере.

1. я / идти / в / кино / завтра
    Завтра я пойду в кино.

2. куда / ты / летом / ехать?
_____
_____

3. куда / вы / идти / завтра?
_____
_____

4. Сегодня / я / читать / книга / вечер
_____
_____

3 Распределите предложения по категориям.

Какое число?	Какого числа (когда)?
	1

1. ~~Мой день рождения 22 января.~~
2. Сегодня 1 марта.
3. 30 марта я поеду в отпуск.
4. У моего друга день рождения 10 ноября.
5. Вчера было 19 сентября.
6. Завтра будет 15 марта.
7. 21 апреля мы пойдём на пикник.

4 Соотнесите слова (1–6) и их значение (а–е).

❶ пустыня ❷ море ❸ река
❹ лес ❺ гора ❻ водопад

а) Высокий рельеф на земле.
б) Несолёный поток воды.
в) Место, где жарко и проблемы с водой.
г) Солёная вода. Там живут рыбы.
д) Место, где много деревьев.
е) Несолёный поток воды падает с горы.

5 Работа с видео (видео 4)

Ссылка на видео:
https://www.youtube.com/c/IrinaMozelova

а) Обсуждайте, что делает отель комфортабельным для гостей.

1. нахождение в центре города
2. наличие wi-fi в номере
3. наличие телевизора и мини-бара в номере
4. наличие спа-салона в отеле
5. наличие фитнес-клуба в отеле
6. возможность взять с собой животное
7. красивый дизайн отеля
8. хороший сервис

б) Новая фраза | Я бы хотел(а)

> Здравствуйте! Я бы хотел забронировать одноместный номер на эти выходные.

в) Новые слова
Угадайте значение слов из контекста.

забыв**а**ть / заб**ы**ть	Со мной случилась ужасная ситуация. Я пришёл в магазин, а деньги забыл дома.
брать / взять	Я люблю брать кофе с собой и идти гулять в парк.
отправл**я**ть / отпр**а**вить	Я отправил тебе имейл сегодня утром.
получ**а**ть / получ**и**ть	Вчера я получил СМС от моего друга.
спр**а**шивать / спрос**и**ть	Я хочу спросить тебя, где ты был вчера.
отвеч**а**ть / отв**е**тить	Я никогда не отвечаю, когда звонит неизвестный номер телефона.
ждать / подожд**а**ть	Где ты была? Я жду тебя уже 30 минут!

г) Составьте по 2 предложения с каждым глаголом (настоящее и будущее время).

> | я | забываю / забуду |
> |---|---|
> | ты | забываешь / забудешь |
> | они | забывают / забудут |

- Я всегда всё забываю.
- Я никогда это не забуду.

> отправляю / отправлю
> отправляешь / отправишь
> отправляют / отправят

> жду / подожду
> ждёшь / подождёшь
> ждут / подождут

> получаю / получу
> получаешь / получишь
> получают / получат

> беру / возьму
> берёшь / возьмёт
> берут / возьмут

> отвечаю / отвечу
> отвечаешь / ответишь
> отвечают / ответят

> спрашиваю / спрошу
> спрашиваешь / спросишь
> спрашивают / спросят

д) Посмотрите видеосюжет. Подчеркните глаголы, которые вы слышите.

1. Но я *забывала / забыла* сказать, что я хотела бы *брать / взять* с собой кошку.
2. Я сегодня утром *отправляла / отправила* имейл, но не *получала / получила* ответ.
3. Странно! Я сейчас *буду спрашивать / спрошу* нашего второго администратора, почему она не *отвечала / ответила* на письмо.
4. А насчёт кошки... Конечно, вы можете *брать / взять* её с собой.
5. *Будем ждать / подождём* вас 1 марта.

е) Посмотрите видеосюжет ещё раз и ответьте на вопросы.

1. На какие числа девушка забронировала номер в отеле?
2. Кого девушка хотела бы взять с собой в гостиницу?
3. Можно взять с собой кошку в эту гостиницу?

6 Расскажите сюжет комикса.

Вы можете добавить детали, чтобы сделать вашу историю более интересной.

5 У НАС ДОМА

1 **Обсуждайте в группе.**

- Какие комнаты вы видите на фото?
- Какие комнаты вы помните?
- Какие комнаты есть у вас дома?

2 **а) Новые слова |**
Дом / House

Соедините комнаты (1–10) и их описание (а–и).

1. спальня	а) Там стоит машина.
2. кухня	б) Там люди готовят еду.
3. гостиная	в) Там люди едят.
4. столовая	г) Там люди спят.
5. кабинет	д) Там люди работают.
6. детская	е) Там спят дети.
7. ванная	ё) Там встречаются с гостями.
8. коридор	ж) Это длинная узкая комната.
9. гараж	з) Там люди принимают душ.
10. балкон	и) Там можно отдыхать летом, когда хорошая погода.

б) Прочитайте слова из упр. № 2а (1–10). Разделите слова на 2 группы.

существительное   прилагательное
(noun)   (adjective)

3 **а) Грамматика |**
Предложный падеж. Местоположение /
The prepositional case. Location

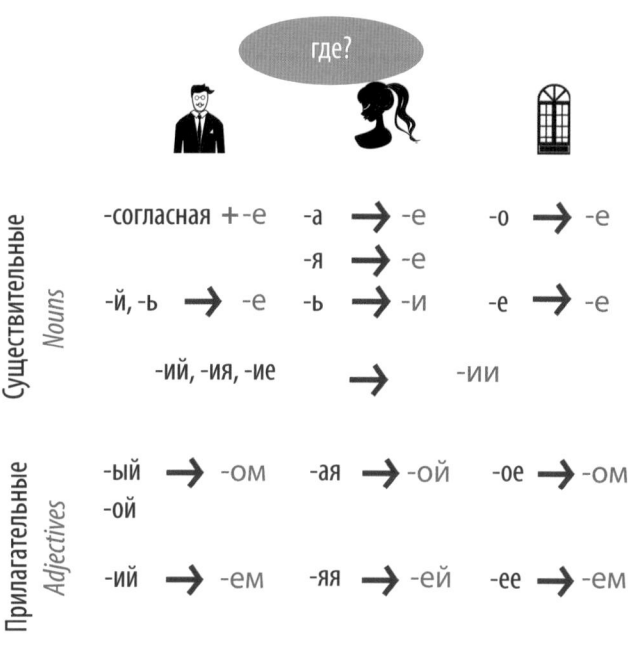

где?

Существительные
Nouns

-согласная +-е   -а → -е   -о → -е
-я → -е
-й, -ь → -е   -ь → -и   -е → -е

-ий, -ия, -ие → -ии

Прилагательные
Adjectives

-ый → -ом   -ая → -ой   -ое → -ом
-ой

-ий → -ем   -яя → -ей   -ее → -ем

Пример
Я сейчас в большой гостиной на пятом этаже.

б) Угадайте, в какой комнате люди обычно это делают.

1. Где обычно люди спят?   Обычно люди спят в спальне.
2. Где обычно люди готовят еду?
3. Где обычно люди завтракают и обедают?
4. Где обычно люди встречаются с гостями?
5. Где обычно люди работают?
6. Где обычно спят дети?
7. Где люди принимают душ?
8. Где стоит машина?
9. Где хорошо отдыхать летом, когда хорошая погода?
10. Где люди обычно работают на компьютере?

4 **а) Посмотрите на дом справа. Сколько этажей вы видите?**

б) На каком этаже живёте вы? На каком этаже вы хотите жить?

в) Посмотрите на дом. На каком этаже что делают?

читать книгу   танцевать
спать   смотреть телевизор
есть гамбургер   работать

5 **а) Что вы любите, а что не любите в дизайне интерьера?**

светлые цвет**а**

яркие цвет**а**

мн**о**го м**е**ста

б) Мужчина купил новый дом. Он хотел сделать красивый интерьер, поэтому он пригласил дизайнера. Прочитайте их диалог после ремонта. Скажите, какие идеи ему не нравятся.

Клиент:	Всё готово? Я был месяц в отпуске. Я думал, вы всё сделаете.
Дизайнер:	Да, конечно, мы всё сделали, как и обещали. Теперь ваш дом выглядит просто отлично! Мне очень нравится!
Клиент:	Я очень рад! Давайте посмотрим.
Дизайнер:	Давайте, конечно! Добро пожаловать в ваш новый прекрасный дом!
Клиент:	О боже! Что это?!
Дизайнер:	Это ваша новая гостиная. Смотрите, какая она теперь стильная!
Клиент:	Да, но почему кровать в гостиной? Я думал, кровать должна быть в спальне.
Дизайнер:	Вы знаете, это очень удобно. Я подумал, что вы очень много работаете и очень устаёте на работе. И поэтому вам будет трудно идти на второй этаж, где была ваша старая спальня. Будет лучше, если вы сможете прийти, поесть и пойти сразу спать. Обратите внимание, это очень красивая дизайнерская кровать. Она выглядит как гамбургер из Макдоналдса.
Клиент:	О боже! Это ужасно!
Дизайнер:	Это не ужасно! Это очень удобно, вот увидите!
Клиент:	А можно посмотреть мою спальню на втором этаже?
Дизайнер:	Да, конечно, но это больше не спальня. Теперь это комната для гостей. Она выглядит просто прекр**а**сно!
Клиент:	А почему здесь бар? Я думал, он должен быть на кухне.
Дизайнер:	Нет, нет, нет... Бар на кухне – это так скучно! Теперь ваши гости могут отдыхать тут. Когда рядом есть бар, отдыхать намного лучше. Я это точно знаю!
Клиент:	О боже, вы сумасш**е**дший?! Я не буду платить за это!

в) Отметьте (√), что правда, а что нет.

		Да	Нет
1.	Дизайнер был очень креативный.	√	☐
2.	Клиент думает, что в доме отличный ремонт.	☐	☐
3.	Кровать в гостиной.	☐	☐
4.	Бар выглядит, как гамбургер.	☐	☐
5.	Бар на кухне.	☐	☐
6.	Дизайнер сделал кабинет из спальни клиента.	☐	☐
7.	Дизайнер думает, что бар на кухне – это очень скучно.	☐	☐
8.	Клиент думает, что дизайнер сумасшедший.	☐	☐

г) Прочитайте диалог ещё раз и напишите фразы, которые используют для того, чтобы…

• пригласить человека в дом.

  Добро пожаловать в ваш новый дом!
  _____

• показать, что им нравится дизайн.

  _____
  _____
  _____
  _____

• показать, что им не нравится дизайн.

  _____
  _____
  _____
  _____

д) Прочитайте диалог ещё раз и найдите слово-синоним к слову «отлично».

_____

е) В парах читайте диалог по ролям.

6 **а) Новое слово | Сумасшедший**

В диалоге было новое слово – «сумасшедший». Объясните по-русски, как вы понимаете, что значит это слово.

сумасшедший = ненормальный

б) Как вы думаете, это нормально или нет?

1. Спать на улице.
2. Играть в футбол в квартире.
3. Работать ночью.
4. Завтракать в кровати.
5. Звонить по телефону ночью.
6. Играть в теннис в гостиной.
7. Вставать утром в 5:00.

7 **а) Разговорная практика**

Представьте, что вы сумасшедший дизайнер. Напишите ещё 5 «креативных» идей.

1. Кровать на кухне.
2. _____
3. _____
4. _____
5. _____
6. _____

б) Поменяйтесь списками идей (exchange the lists with ideas) с партнёром. Он – ваш клиент. Объясните ему, почему вы решили сделать это. Потом поменяйтесь ролями (exchange the roles).

Пример

Студент А: Почему кровать на кухне? Я не понимаю!
Студент Б: Понимаете, дело в том, что это очень удобно! Вы можете есть в кровати.

71

5.2 УБОРКА ДОМА

1 Спрашивайте и отвечайте.

- Вы любите убирать дом?
- Что вы обычно делаете, когда убираете дом?

2 а) Новые слова |
Уборка / Tidy up

Читайте новые глаголы. Какая разница между «мыть», «стирать», «убирать» и «чистить»?

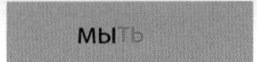

| мыть | стирать | чистить | убирать |

б) Вставляйте окончания в таблицу.

я	мою	я	стираю	я	чищу	я	убираю
ты	моешь	ты	стираешь	ты	чистишь	ты	убираешь
он		он		он		он	
она	} _____	она	} стираeт	она	} чистит	она	} убираeт
оно		оно		оно		оно	
мы	_____	мы	_____	мы	_____	мы	убираeм
вы	_____	вы	_____	вы	_____	вы	убираeте
они	моют	они	_____	они	чистят	они	_____

в) Что люди обычно делают с этими вещами (моют, стирают, чистят или убирают)?

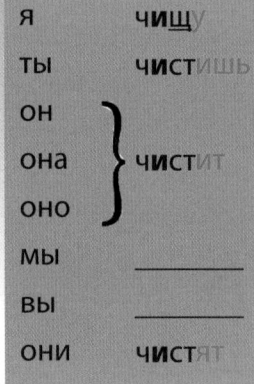

1. машина   Люди моют машину.
2. руки
3. скатерть
4. одежда
5. дом
6. джинсы
7. фрукты
8. зубы

г) Обсуждайте в группе. Что вы любите / не любите делать, когда убираете квартиру?

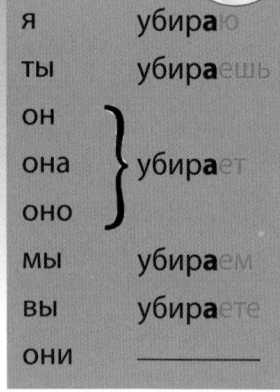

1. Вы любите мыть пол?
2. Вы любите мыть посуду?
3. Вы любите стирать одежду?
4. Вы любите мыть окна?
5. Вы любите убирать комнаты?
6. Вы любите убирать постель?
7. Вы любите чистить обувь?

3   Что делают люди на фото?

б) В упражнении есть ответы. Напишите вопросы к ним.

1. __Что они будут__
__убирать сначала__ ?
— Сначала они будут
убирать гостиную.

2. _____
_____
— Сначала Андрей помоет
пол.

3. _____
_____?
— Катя почистит диван.

4. _____
_____?
— На кухне нужно помыть
посуду и постирать скатерть.

5. _____
_____?
— Андрей будет мыть окна,
но в другой раз.

4   **а) Читайте диалог. Как Андрей и Катя будут убирать дом после вечеринки? Что они будут делать?**

Андрей: О боже! Наш дом после этой вечеринки выглядит просто ужасно!
Катя: Да! Это правда! Я даже не знаю, откуда начать.
Катя: Давай начнём с гостиной!
Андрей: Хорошо, я помою пол.
Катя: А я почищу диван. Здесь пятно от вина. А потом мы будем убирать кухню. Нам надо помыть посуду и постирать скатерть.
Андрей: А окна мы тоже будем мыть?
Катя: Нет, окна ты помоешь в другой раз.

5   **Ролевая игра**

а) Студент А — читайте роль в 5.2–5 на стр. 155.
Студент Б — читайте роль на этой странице.

Студент Б

> Вчера у вас дома была вечеринка. Сегодня у вас дома полный беспорядок: грязный пол, немытая посуда, на скатерти пятно от кофе, пятно от вина на диване, бутылки на полу.
> Вы позвонили в компанию, которая убирает дома. В ваш дом пришёл работник этой компании. Объясните ему, что ему нужно сделать.

б) Поменяйтесь ролями.

6 **а) Новые слова |**

Нужные вещи для уборки /
Necessary things for cleaning

Соотнесите (match) новые слова и фотографии.

- ☐ стир**а**льная маш**и**на
- ☐ посудом**о**ечная маш**и**на
- ☐ шв**а**бра
- ☐ г**у**бка
- ☐ ведр**о**
- ☐ ср**е**дство для мыть**я**
- ☐ порош**о**к

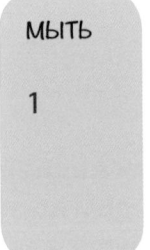

б) Произношение |

Новые слова

- губка – [г**у**пка]
- порошок – [параш**о**к]
- посудомоечная машина – [пасудам**о**ич'найа маш**ы**на]
- стиральная машина – [ст'ир**а**л'найа маш**ы**на]
- средство – [ср**'э**цтва]
- ведро – [в'идр**о**]
- швабра – [шв**а**бра]

в) Смотрите на фотографии. Спрашивайте и отвечайте.

Студент А: Что это?
Студент Б: Это швабра.

Поменяйтесь ролями.

г) Распределите слова в рамке на 3 группы в зависимости от того (depending on), как используют эти вещи.

> 1. швабра   2. губка
> 3. посудомоечная машина
> 4. стиральная машина
> 5. ведро   6. средство для мытья посуды   7. порошок

мыть	стирать	убирать
1		

д) Угадайте (guess), что это.

1. Это машина. Она обычно на кухне. Она моет посуду. Это посудомоечная машина.

2. Это машина. Она стирает одежду.
3. Эта вещь нужна, когда моют пол. В ней обычно вода.
4. Эта вещь нужна, чтобы мыть пол. Можно мыть пол и без неё, но тогда может болеть спина.
5. Это вещество (substance), которое помогает мыть разные вещи.
6. Это средство люди используют, когда стирают одежду.
7. Люди используют эту вещь, когда моют посуду руками. Это не средство, это специальный материал.

7 a) Слушайте диалог в магазине. Какие средства покупает девушка?

б) Слушайте диалог ещё раз. Вставляйте пропущенные слова.

> **А:** Здравствуйте! Скажите, пожалуйста, для чего нужно это средство?
> **Б:** Это средство _____ мытья посуды.
> **А:** А это?
> **Б:** А это средство нужно, _____ мыть пол.
> **А:** Спасибо!

8 a) Грамматика |
Предлог «для» и союз «чтобы» /
Preposition "for" and conjunction "that"

- **нужен** **для** + существительное
- **нужна** (Родительный падеж)
- **нужно**
- **нужны** **,чтобы** + глагол

- Это средство нужно для мытья.
- Эта машина нужна, чтобы мыть посуду.
- Телефон нужен, чтобы звонить.
- Телефон нужен для звонков.

б) Вставляйте слова «для» или «чтобы».

1. Он купил фотоаппарат, чтобы фотографировать красивые пейзажи.
2. Я купила одежду _____ сына.
3. Он купил продукты_____ ужина.
4. Он купил продукты,_____ приготовить ужин.
5. Кофемашина нужна,_____ делать кофе.
6. _____ отвечать на твои вопросы, я должен сначала прочитать энциклопедию.
7. Я купила специальный порошок _____ белых вещей.
8. Мне нужно это _____ работы.

в) Вставляйте «нужен» в правильной форме.

> нужен   нужна   нужно
>   нужны

1. Мне нужен _____ дом.
2. Тебе _____ машина.
3. Вам _____ средство?
4. Нам _____ работать.
5. Мне _____ яблоки.
6. Мне _____ работа.
7. Мне _____ кофемашина.
8. Если я хочу постирать одежду, мне _____ стиральная машина.
9. Если я хочу помыть посуду, мне _____ посудомоечная машина.
10. Если ты хочешь помыть пол, тебе _____ ведро.
11. Если я хочу помыть окна, мне _____ средство для мытья окон.

9 **Скажите, для чего нужны эти вещи.**

Пример
Швабра нужна, чтобы мыть пол.

ключи

часы

швабра

кофемашина

стиральная машина

компас

блокнот и карандаш

телефон

плеер

банковская карта

кровать

телевизор

10 **Играйте.**

Как играть:

Один человек из группы выбирает слово из рамки. Ему нужно описать *(describe)* это слово. Нельзя произносить его. Другие игроки должны угадать *(guess)*, что это. Они могут задавать вопросы. Человек, который угадал, получает очко *(point)* и право *(right)* выбрать следующее слово. Победитель – человек, у которого больше всех очков.

Пример

Студент А: Это машина. Она на кухне.
Студент Б: Она стирает одежду?
Студент А: Нет.
Студент В: Она моет посуду?
Студент А: Да!
Студент В: Это посудомоечная машина?
Студент А: Да!

телевизор	кровать
компьютер	стиральная машина
посудомоечная машина	телефон
швабра wi-fi	шкаф
кухня шампунь	пианино
спортивный костюм	блокнот
гостиная дизайнер	молоко
ведро факс	радио
пианино	гель для душа
куртка спальня	балкон
календарь виза	паспорт
лампа цветы	духи
собака рыба	банан
молоко	дедушка
машина самолёт	юбка

ГДЕ ЭТО НАХОДИТСЯ?

5.3

1 Обсуждайте в группе.

- Вы знаете, что значит «арендовать квартиру»?
- Что важно для вас, если вы хотите арендовать квартиру?
- Вы знаете, что значит «сдавать квартиру»?
- Вы когда-нибудь сдавали / арендовали квартиру?

Студент Б

Вы хотите арендовать квартиру. Вы видите рекламу. Позвоните хозяину *(owner)*. Вы хотите:

- знать, какая площадь квартиры;
- посмотреть квартиру сегодня.

2 а) Мужчина решил арендовать квартиру. Он увидел рекламу и решил позвонить. Слушайте диалог и отвечайте на вопросы.

5.3–2

1. В квартире есть отдельная спальня?
2. Какая площадь (area) квартиры (сколько квадратных метров)?
3. Там есть место, где человек может работать?

АРЕНДА КВАРТИРЫ

- 2 спальни
- Квартира в стиле лофт.
- В центре города.
- 60 тысяч руб. /мес.

б) Читайте диалог в 5.3–2 на стр. 164. Напишите все вопросы, которые вы услышали.

_____

_____

_____

_____

_____

_____

в) Ролевая игра

Студент А
Читайте роль в 5.3–2 на стр. 155.

3 а) Грамматика |
Творительный падеж после предлогов «над», «под», «за», «перед», «между», «рядом с» / The instrumental case after prepositions "над", "под", "за", "перед", "между", "рядом с"

Читайте диалог в 5.3–2 на стр. 164. Вставляйте предлоги.

1. Там есть место _____ спальней и ванной.
2. Но мы можем повесить лампу _____ столом.

б) Читайте примеры ниже (*below*). Угадайте, что значат предлоги в рамке.

над	под	за	перед
между	рядом с		

1. Кошка <u>под</u> журнальным столиком.
2. Лампа <u>над</u> журнальным столиком.
3. Диван <u>за</u> журнальным столиком.
4. Собака <u>перед</u> журнальным столиком.
5. Картина <u>между</u> окнами.
6. Цветы <u>рядом с</u> диваном.

> Журнальный столик – это маленький стол для журналов. Обычно он в гостиной рядом с диваном.

в) Предлоги (*над, под, за, перед, между, рядом с*) с творительным падежом.

кем? чем?

Существительные *Nouns*	-согласная + -ом	-а → -ой	-о → -ом	-а, ы → -ами
		-я → -ей		
	-й, -ь → -ем	-ь → +ю	-е → -ем	-я, и → -ями

Прилагательные *Adjectives*	-ый -ой → -ым	-ая → -ой	-ое → -ым	-ые → -ыми
	-ий → -им	-яя → -ей	-ее → -им	-ие → -ими

г) Где они (кошка, собака, ананас, лампа)?

Кошка под столом.

д) Посмотрите на комнату (№ 3б). Отвечайте на вопросы.

1. Где находится картина? Картина находится над диваном.
2. Где находится телевизор?
3. Где находятся розы?
4. Где находятся книги и журналы?
5. Где находится ковёр?
6. Где находится лампа?
7. Где находится журнальный столик?

е) Пишите слова в скобках в правильной форме.

1. Стол между (красные стулья)
   <u>Стол между красными стульями</u> .
2. Кошка рядом с (синий диван)
   _____ .
3. Картина над (большой стол)
   _____ .
4. Сейф за (большая картина)
   _____ .
5. Твой паспорт находится на моём столе рядом с (мой компьютер)
   _____ .
6. У нас дома телевизор находится на стене над (журнальный столик)
   _____ .
7. Всё находится под (мой контроль)_____
   _____ .
8. Эта собака спит под (твоя машина)_____ .
9. Магазин находится между (ресторан и банк) _____
   _____ .
10. Видишь большой красный дом за (эти зелёные дома)
    _____
    _____ ?
11. Твоя машина стоит перед (моя машина) _____ .

4 Работа в парах.

Студент А. Опишите (describe) одну из ваших комнат в доме. Не называйте (name) её. Называйте, что там есть и что где находится.

Студент Б. Возьмите (take) бумагу и нарисуйте (draw) всё, что говорит студент А. Угадайте (guess), какая это комната.

б) Поменяйтесь ролями (switch the roles).

5 а) Новые слова |
Бытовая техника / Appliances

Соотнесите (match) слова и фотографии.

- ☐ фен
- ☐ кондиционер
- ☐ плита
- ☐ чайник
- ☐ пылесос
- ☐ тостер
- ☐ холодильник
- ☐ утюг

б) Работа в парах. Показывайте на фотографии. Спрашивайте и отвечайте.

Студент А: Что это?
Студент Б: Это утюг.

в) Где у вас дома находятся эти вещи?

> холодильник   тостер   фен
> утюг   кондиционер   плита
> чайник   пылесос

6 **а) Новый глагол |**
пользоваться / to use

пользоваться	
я	**по**льзуюсь
ты	_____
он	
она	} _____
оно	
мы	_____
вы	_____
они	**по**льзуются

б) Грамматика |
Творительный падеж с глаголом
«пользоваться» / The instrumental case
with the verb "пользоваться"

пользоваться **+** Творительный падеж

**в) Какой техникой
вы пользуетесь (use),
а какой – нет?**

1. Вы пользуетесь феном?
2. Вы пользуетесь тостером?
3. Вы пользуетесь
   кондиционером?

г) Отвечайте на вопросы.

1. Чем вы пользуетесь, когда
   хотите позвонить?
2. Чем вы пользуетесь, когда
   хотите помыть пол?
3. Чем вы пользуетесь, когда
   хотите пить кофе?
4. Чем вы пользуетесь, когда
   убираете дом?
5. Чем вы пользуетесь, когда
   сушите волосы?

д) Составьте предложения.

1. Я / пользоваться / крем / для / лицо
   Я пользуюсь кремом для лица.

2. Я / пользоваться / компьютер / для /
   работа
   _____

3. Она / пользоваться / эта / зубная /
   паста
   _____

4. Они / пользоваться / хороший /
   шампунь
   _____

5. Мы / пользоваться / тостер / каждый /
   утро
   _____

7 **Ролевая игра**

Студент А
Читайте роль в 5.3–7 на стр. 156.

Студент Б

Вы и студент А живёте вместе. Вы всегда
теряете вещи. Поговорите с ним. Может
быть, он знает, где ваши вещи:
• фен
• открытка
• бутылка вина
Найдите на картинке, где находятся
ваши вещи. Помогите студенту А.
Он тоже всегда теряет вещи.

ОБЗОР
Глава 5. У НАС ДОМА

1 **Какое слово лишнее? Почему вы так думаете?**

а) ванная, ~~кровать~~, кухня, гостиная
б) детская, столовая, пылесос, кабинет
в) тостер, плита, швабра, фен
г) порошок, кондиционер, чайник, утюг

2 **На каком этаже?**

а) 11 _на одиннадцатом этаже._
б) 5 _____
в) 1 _____
г) 2 _____
д) 30 _____

3 **Для чего нужны эти вещи?**

1. фен
2. кондиционер
3. плита
4. чайник
5. тостер
6. холодильник
7. утюг
8. порошок и стиральная машина
9. посудомоечная машина
10. пылесос, швабра, ведро, губка и средство для мытья

а) нужен, чтобы готовить чай
б) нужен, чтобы хранить продукты при низкой (*low*) температуре
в) нужен, чтобы регулировать температуру в комнате
г) нужны, чтобы убирать в доме
д) нужна, чтобы готовить еду
е) нужен, чтобы жарить хлеб
ё) нужен, чтобы сушить волосы
ж) нужна, чтобы мыть посуду
з) нужны, чтобы стирать одежду
и) нужен, чтобы гладить одежду после стирки

4 **Пишите слова в скобках в правильной форме.**

1. В спальне находится большая ваза между (красные стулья)
   _____.
2. Журнальный столик рядом с (новый диван)
   _____.
3. Лампа висит над (большой стол)
   _____.
4. Документы под (журнальный столик)
   _____.
5. Сейф за (большая картина)
   _____.
6. Собака спит перед (наш дом)
   _____.

5 **Пишите слова в скобках в правильной форме.**

1. В (наша спальня) _____
   _____ находится большая кровать.
2. Газеты лежат на (журнальный столик)
   _____
   _____.
3. Ваза с цветами на (большой стол)
   _____.
4. Посуда находится в (посудомоечная машина)
   _____.
5. Диван находится в (большая гостиная)
   _____
   _____.
6. Чайник находится на (кухонный стол) _____
   _____.

6 Работа с видео (видео 5)

Ссылка на видео:
https://www.youtube.com/c/IrinaMozelova

а) На фотографии Виктория Катаева. Прочитайте текст и отметьте, это правда или нет.

	Да	Нет
1. Виктория – дизайнер одежды.	☐	☐
2. Виктория обожает делать всё своими руками.	☐	☐

Всем привет! Меня зовут Виктория. Я – дизайнер-декоратор. С детства я обожаю делать разные вещи своими руками. У меня даже есть много видеоуроков, где я рассказываю, как создавать разные украшения для дома и сада.

б) Читайте новые слова.

шторы
угол
туалетный столик
подушка
рисунок
Она сейчас рисует. (рисовать)

1. Я сделала это сама. = Я сделала это своими руками.
2. творческий = креативный
3. Круглыми сутками = 24 часа 7 дней в неделю.

в) Грамматика | Диминутивы

+ (ч)ик	+ (ч)ка	+ (ч)ко	+ (ч)ки
+ (ч)ек	+ (ш)ка	+ (ш)ко	+ (ш)ки
+ ок	+ (ж)ка	+ (ж)ко	

стол –	кровать –	окно –	шторы –
столик	кроватка	окошко	шторки

Угадайте, что значат эти слова:

- уголок
- рисуночек
- местечко
- денёк
- рисуночки

- немножко
- подружка
- книжка
- картинка
- собачка

Образуйте диминутивы от этих слов.

> ресторан, телефон, торт, цветы, машина, яблоко, вода

г) Посмотрите видеосюжет о комнате Виктории. Отметьте, что из перечисленного она и её семья сделали сами.

☐ 1. кровать
☐ 2. игрушка-медведь
☐ 3. шторы
☐ 4. картины с ангелами
☐ 5. подушки
☐ 6. туалетный столик
☐ 7. кресло-груша
☐ 8. костюмы

д) Обсуждайте в группе.

1. Вы любите делать что-то своими руками (готовить, рисовать, шить, декорировать)?
2. Что последнее вы сделали своими руками?

7   Ролевая игра

Студент А – Мария , Студент Б – Александр. Мария и Александр – семейная пара. Они хотят купить новый дом.

Вам нужно выбрать идеальный дом. Для этого вы должны ответить на следующие вопросы:

1. Вы часто работаете дома? Вам нужен кабинет?
2. Вам нравится, когда кухня и гостиная – это одна большая комната?
3. У вас часто гости остаются на ночь? Им нужна комната для гостей?
4. Вам нужен гараж на две машины или на одну?
5. Вам нужна гардеробная комната или нет?
6. Вам нужна библиотека в доме или нет?

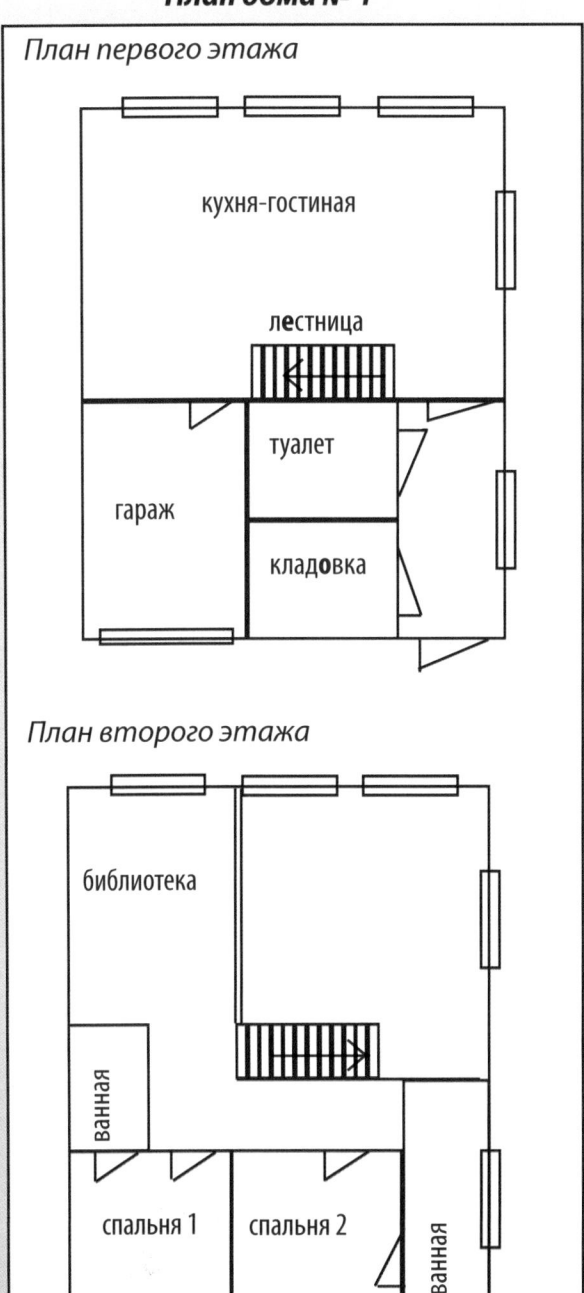

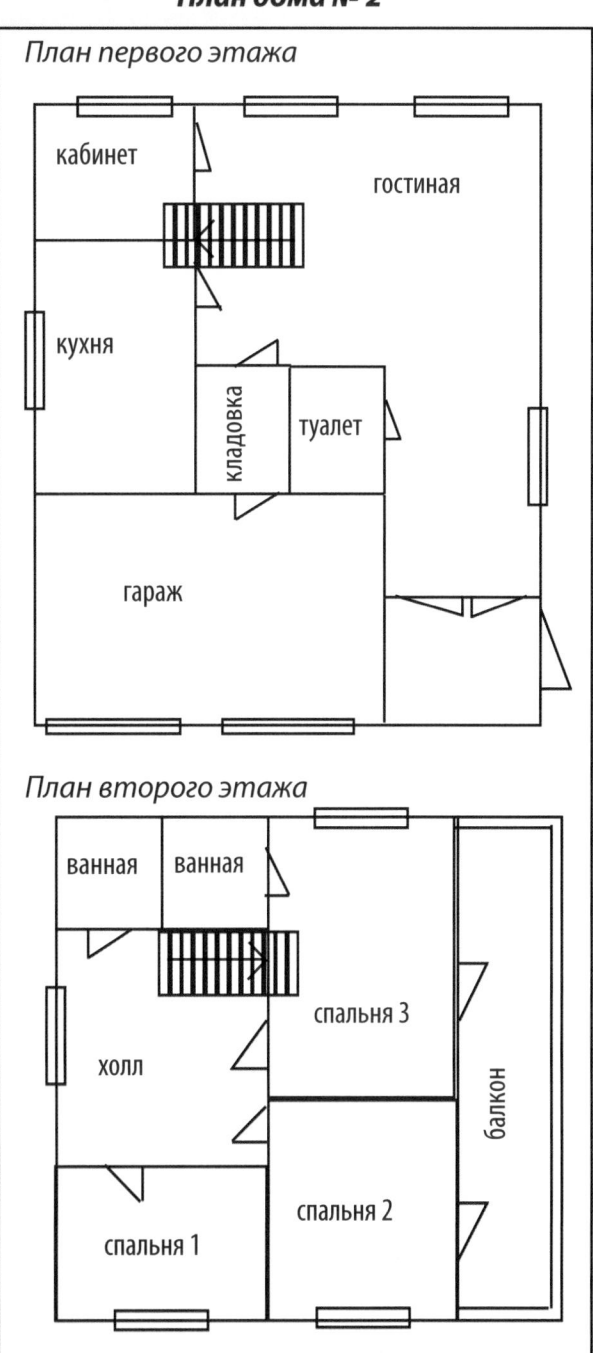

6 НА РАБОТЕ

1 **Обсуждайте в группе.**
Какие профессии вы знаете?

2 **а) Новые слова |**
Профессии / Professions

Соотнесите (*match*) слова
и фотографии (1–10).

- ☐ полицейский ☐ повар
- ☐ парикмахер ☐ адвокат
- ☐ продавец ☐ официант(ка)
- ☐ уборщик(ца) ☐ учитель(ница)
- ☐ врач ☐ медсестра

б) **Произношение |**
Названия профессий

- медсестра – [м'итс'истра]
- официант – [аф'ицант]
- адвокат – [адвакат]
- полицейский –
  [пал'ицэйск'ий]
- продавец – [прадав'эц]
- продавщица – [прадафщ'ица]
- учитель / преподаватель –
  [уч'ит'ил'], [пр'ипадават'ил']

КЕМ ВЫ РАБОТАЕТЕ?  6.1

в) Обсуждайте, какие профессии можно отнести к этим категориям.

трудная	престижная

интересная	опасная

г) Угадайте, кто они по профессии.

1. Он готовит еду в ресторане. Это повар.
2. Он продаёт вещи в магазине.
3. Он приносит еду в ресторане или кафе.
4. Он убирает в доме, офисе, ресторане и т.д.
5. Он лечит пациентов.
6. Она помогает доктору.
7. Он делает волосы красивыми.
8. Он учит людей в школе.
9. Он контролирует порядок в городе.
10. Он знает все законы и помогает с документами.

3 а) Прочитайте текст. Кто по профессии Ульяна?

Здравствуйте, меня зовут Ульяна.
Я живу в Санкт-Петербурге.
Я студентка, но уже работаю учителем.
Я преподаю русский как иностранный.
Когда я была маленькой,
я хотела иметь
свой бизнес. Потом
я хотела стать
журналистом и
работала в газете.

б) Отметьте, что правда, а что нет.

	Да	Нет
1. Ульяна живёт во Владивостоке.	☐	☐
2. Когда она была маленькой, она хотела стать учителем.	☐	☐
3. У неё свой бизнес.	☐	☐

4 а) Грамматика |
Творительный падеж с глаголами «работать», «стать», «быть» /
The instrumental case with verbs "работать", "стать", "быть"

• быть • работать • стать	+	Творительный падеж

Примеры
- Я работаю парикмахером.
- Я хочу быть врачом.
- Я был студентом.
- Я хочу стать поваром.

б) Пишите слова в скобках в правильной форме.

1. Ты работаешь (продавец)
   Ты работаешь продавцом. .
2. Я хотел стать (парикмахер)
   _____ .
3. Она работает (медсестра)
   _____ .
4. Я хочу быть (хороший врач)
   _____ .
5. Когда я была (маленькая)
   _____ ,
   я хотела быть (президент)
   _____ .
6. Мой сын хочет стать (повар)
   _____ .

в) Обсуждайте в группе.
- Кем работают люди на фото на стр. 84?
- Кем вы работаете?
- Кем вы хотели стать, когда были ребёнком? Почему?

5 а) Послушайте диалог. Отвечайте на вопросы.

6.1-5

1. Сколько коллег разговаривают?
2. Что хотят сделать коллеги?

б) Слушайте диалог и вставляйте слова.

А: Всё! Я устал! Надо пойти выпить кофе! Ты со _____?
Б: Пойдём! Отличная идея!
В: Ой! А куда вы идёте?
А: Мы хотим пойти выпить кофе. Пойдёшь с _____?
В: Да, конечно!

в) Напишите фразы из диалога, которые используют для приглашения (_for inviting_).

1) _____
2) _____
_____

6 а) Грамматика |
Творительный падеж. Местоимения /
The instrumental case. Pronouns

с кем?

Субъект	Творительный падеж
я	со мной
ты	с тобой
он	с ним
она	с ней
оно	с ним
мы	с нами
вы	с вами
они	с ними

б) Составьте предложения.

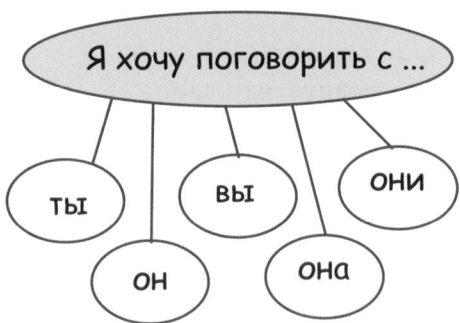

Я хочу поговорить с ...

ты · вы · они · он · она

в) Составьте предложения.

1. Я / хотеть / пойти / с / ты
   Я хочу пойти с тобой.
2. Я / хотеть / быть / с / вы
   _____.
3. Она / работать / с / он / вместе
   _____.
4. Можно / пойти / с / она?
   _____.
5. Ты / идти / с / мы?
   _____.
6. Вы / быть / с / они
   _____.

г) Ролевая игра

Студент А – Пригласите партнёра выпить кофе. Используйте фразу из № 6в.
Студент Б – Примите приглашение студента А.

д) Поменяйтесь ролями.

е) Составьте фразы по модели.

1. я и Марк = мы с Марком
2. я и ты = _____
3. я и он = _____
4. она и Антон = _____
5. я и она = _____
6. мы и вы = _____
7. я и Анна = _____

7   **a) Новые слова |**

Обсуждайте в группе. Вы знаете, что такое собеседование? Какие вопросы обычно можно услышать на собеседовании?

б) Прочитайте резюме ниже и угадайте из контекста, что значат подчёркнутые слова.

- Образов**а**ние
- **О**пыт
- Д**о**лжность

---

❶   **РЕЗЮМЕ**

Антонов Михаил Васильевич

<u>Контакты:</u>
телефон: +7 (999) 222-34-00
email: mikhail@mail.com

<u>Желаемая должность:</u>
финансовый директор

<u>Образование:</u>
1995–2000
Московский финансовый университет

<u>Опыт:</u>
2002–2008
продавец в магазине

2008 – по настоящее время
бухгалтер

<u>Языки:</u>
английский, немецкий

в) Читайте

Вы – менеджер по персоналу. Вам в компанию нужен новый бухгалтер. Прочитайте резюме № 1 и резюме № 2 и выберите кандидата. Аргументируйте свой выбор.

---

❷   **РЕЗЮМЕ**

Марков Пётр Сергеевич

<u>Контакты:</u>
телефон: +7 (999) 252-14-90
email: markov@mail.com

<u>Желаемая должность:</u>
бухгалтер

<u>Образование:</u>
2010–2015
Уральский государственный университет

<u>Опыт:</u>
2015 – по настоящее время
администратор в гостинице

<u>Языки:</u>
английский, французский

г) Ролевая игра
Студент А – менеджер по персоналу. Пригласите на собеседование одного из кандидатов.
Студент Б – кандидат. Разыграйте диалог.

8   **Ролевая игра**

Студент А
Читайте роль в 6.1–8 на стр. 156.

Студент Б
Вы – менеджер по персоналу. Вам нужен повар в ресторан. Сейчас вы разговариваете с кандидатом. Вам нужно решить, этот кандидат – хороший вариант или нет.
Вы хотите знать:

- где он учился;
- где он работал раньше;
- кем он хотел стать в детстве.

6.2 ТЕЛЕФОННЫЕ ЗВОНКИ

1 **Обсуждайте в группе.**
Вы часто звоните по телефону?
Вы любите разговаривать по
телефону?

2 **а) Новые слова |**
По телефону – 1 / On the phone – 1

Соедините фразы (1–6) и (а–е).

1. Алло! Я вас слушаю,
2. Я не слышу вас,
3. Мы можем
4. Могу я
5. В какое время
6. Извините, что

а) я в метро. Говорите громче!
б) встретиться завтра?
в) говорите!
г) перезвонить позже?
д) звоню так поздно.
е) вам будет удобнее?

б) Прочитайте диалог и
вставьте слова из фраз (№ 2а).

А: Алло! Я вас _____ .
Б: Здравствуйте, Мария! Извините, что
звоню так _____ . Меня зовут
Анастасия.
А: Извините, я вас не _____ .
Я сейчас в метро. Вы можете говорить
громче?
Б: Может быть, будет лучше, если я
перезвоню _____ ?
А: Вот, сейчас слышу! Что вы хотели?
Б: Это Анастасия из компании «Дольче

Вита». Я хотела сказать, что ваш
заказ готов. В какое время вам
удобно _____
с нашим организатором?
А: Мне _____ завтра
после работы в 7. Я могу приехать
к вам в офис. Это удобно?
Б: Да! Отлично! Договорились!
А: Спасибо, до свидания!

в) Послушайте
и проверьте себя.

6.2-2

3 **а) Новые слова |**
По телефону – 2 / On the phone – 2

Я бы хотел(а)

заказать пиццу

забронировать столик

записаться на массаж

организовать встречу

отменить встречу

перенести встречу

подтвердить встречу

б) Вставляйте пропущенные глаголы.

Диалог 1
А: Здравствуйте! Ресторан «Сушимания». Администратор Елена.
Б: Здравствуйте, Елена! Я бы хотела _____ обед в офис.
Я хочу заказать 2 бизнес-ланча в офис. Наш адрес: улица Центральная, дом 10.

Диалог 2
А: Алло! Салон «Аквамарин». Слушаю.
Б: Здравствуйте! Я бы хотела _____ на маникюр в ваш салон в понедельник в 18:00. Это возможно?
А: К сожалению, в это время все мастера заняты.

Диалог 3
А: Алло! Здравствуйте, Максим! К сожалению, я должен _____ нашу встречу завтра.
Б: Ничего страшного! Давайте встретимся в другой день!

Диалог 4
А: Алло!
Б: Диана! Привет! Я вчера приехал из отпуска. Я помню, мы договорились встретиться завтра.
Я хочу _____ нашу встречу. Всё в силе?
А: Да! Конечно! Во сколько и где?
Б: Давай в 5 на нашем месте.
А: Отлично! Договорились!

Диалог 5
А: Алло!
Б: Привет, Джон! Это я! Ты знаешь, я не могу завтра встретиться в 4 часа. Ты можешь _____ нашу встречу на 6?
А: В 6 часов у меня встреча, давай попробуем в 7.
Б: Хорошо, спасибо!

4 Ролевые игры

Читайте ситуацию 1. Позвоните партнёру и разыграйте диалог. Потом партнёр читает ситуацию 2 и звонит вам. И так далее с ситуациями 3–6.

ситуация 1
Вы хотите заказать новый шкаф. Позвоните в мебельный салон и закажите модель № 005 на адрес: улица Центральная, дом 15.

ситуация 2
Вы хотите записаться в салон на маникюр. Позвоните туда и договоритесь о времени, когда вам удобно.

ситуация 3
Вы с коллегой договорились, что завтра встретитесь в 15:00. Но сейчас вы понимаете, что завтра в 15:00 не можете, потому что ваш директор попросил вас встретиться с ним. Позвоните коллеге и отмените или перенесите встречу.

ситуация 4
Вы сейчас едете на машине. У вас закончился бензин. Позвоните другу и попросите его помочь.

ситуация 5
Вы хотите заказать пиццу «Пепперони». Позвоните в пиццерию и сделайте заказ.

ситуация 6
2 недели назад вы договорились встретиться с другом. Завтра у вас встреча. Позвоните ему и подтвердите её. Обсудите время и место встречи.

5 **а) Слушайте диалог. Что случилось? Почему звонит Сергей?**

6.2–5

> **А:** Алло!
> **Б:** Алло! Маргарита, привет! Извини, что звоню так поздно!
> **А:** Ничего страшного! Привет, Сергей! Что случилось?
> **Б:** Дело в том, что я завтра не смогу прийти на встречу. У меня будет важное совещание в это время! Извини, что так поздно информирую.
> **А:** Ничего страшного! Нет проблем!
> **Б:** Спасибо за понимание! Пока!
> **А:** Пока!

б) Читайте диалог. Отметьте (√), что правда, а что нет.

	Да	Нет
1. Женщину зовут Мария.	☐	☐
2. Сергей извиняется, что звонит поздно.	☐	☐
3. Завтра у них будет встреча.	☐	☐
4. Маргарита не рада, что он информирует её так поздно.	☐	☐
5. Сергей благодарит её за понимание.	☐	☐

в) Обсуждайте в группе. За что обычно люди извиняются? За что обычно люди благодарят?

6 **а) Грамматика** | «за» или «что» / "for" or "that"

Спасибо Извини(те) Прости(те)	за + существительное , что + глагол

Примеры

- Спасибо, что сказал!
- Спасибо за информацию!
- Извини, что звоню так поздно!
- Извини за поздний звонок!

б) Вставляйте «за» или «что».

1. Извините, ____что____ звоню так поздно.
2. Извини _____ это.
3. Спасибо _____ хорошие новости!
4. Спасибо, _____ рассказал мне об этом!
5. Извините, _____ информирую вас так поздно!
6. Прости, _____ я забыл про твой день рождения!
7. Прости, _____ опоздал!
8. Спасибо _____ ужин!
9. Спасибо, _____ сделал это для меня!

в) Выберите, за что нужно извиниться, а за что поблагодарить.

(извиниться)   (поблагодарить)

вкусный ужин

> ~~вкусный ужин~~   опоздание
> поздний звонок   плохая новость
> кофе   хорошие новости
> информация   комплимент
> подарок

7   **а) Новые слова |**

По телефону – 3 / On the phone – 3

- А м**о**жно Вику?
- Одн**у** мин**у**точку.
- Я перезвон**ю** п**о**зже.
- Вы не туд**а** поп**а**ли.

Прочитайте диалоги. Девушки смогли дозвониться *(get through)* до подруг?

①

А: Алло! Вика, это ты?
Б: Нет, это её мама.
А: Здравствуйте, а можно Вику?
Б: Одну минуточку! Вы знаете, она сейчас в саду. Давайте она перезвонит вам.
А: Не надо! Спасибо! Я перезвоню позже.

②

А: Алло!
Б: Здравствуйте! А можно Марию?
А: Вы не туда попали!
Б: Извините!

б) Прочитайте диалоги (№ 7а) по ролям.

8   **а) Слушайте телефонные диалоги. Заполняйте таблицу.**

6.2–8

	кто звонит?	почему звонит?
диалог 1		
диалог 2		

б) Слушайте телефонные диалоги ещё раз. Отвечайте на вопросы.

1. Кто будет работать в офисе?
2. Когда будет тренинг для нового финансиста?
3. Почему не будет совещания в 9 часов?

9   **Ролевая игра**

Студент А

Вы – директор компании. У вас звонит телефон. Это звонит менеджер по персоналу. Ответьте на звонок. Узнайте, почему он звонит. Ответьте на все его вопросы. Ваша компания сейчас ищет нового бухгалтера. Может быть, он звонит поэтому.

Студент Б

Вы – менеджер по персоналу. Сегодня у вас было собеседование с кандидатом. Вы думаете, что это отличный вариант. Вы хотите рекомендовать его директору. Позвоните директору и расскажите ему, что вы нашли нового бухгалтера. Его зовут Максим Александров. Расскажите ему, что Максим – это опытный специалист, который будет хорошо работать.

ЭЛЕКТРОННЫЕ ПИСЬМА

1   Обсуждайте в группе.

- Когда люди пишут электронные письма?
- Вы часто пишете электронные письма?
- Вам больше нравится отправлять электронные письма или СМС?

2   а) Новые слова |
Структура письма / The structure of a letter

Читайте имейл внизу и отвечайте на вопросы.

1. Какая фраза должна быть в начале письма?
2. Какая фраза должна быть в конце письма?

Кому:	Александр Бродов
От:	Мария Михайлова
Тема:	Приглашение на собеседование

Здравствуйте, уважаемый Александр!

Мы получили Ваше резюме. Мы бы хотели пригласить Вас на собеседование. Скажите, в какое время Вам будет удобно приехать к нам в офис.

С уважением,
Мария Михайлова

б) Поставьте фрагменты письма в правильном порядке.

а С уважением,
Александр Бродов

б Здравствуйте, уважаемая Мария!

в Я могу приехать к Вам в офис в любой день, кроме субботы и воскресенья.

г Спасибо за интерес к моему резюме!

д Если я приеду завтра в 10:00, Вам будет удобно встретиться со мной?

в) Напишите письмо.

Недавно вы отдыхали в отеле «Горизонт». В отеле были некоторые проблемы. Сейчас вы хотите написать письмо директору. Его зовут Алексей Петров. Вы хотите информировать его, что в душе не было горячей воды, wi-fi не работал. Вы хотите попросить его решить эту проблему.

3 **а) Читайте имейл внизу и отвечайте на вопросы.**

1. Кто такой Виктор Леонтьев?
2. Почему Виктор написал Елене письмо?

Новое письмо

Кому:	Елена «elena@email.ru»
От:	Виктор Леонтьев «leontiev@email.ru»
Тема:	Индивидуальные уроки английского языка

Добрый день, Елена!

Меня зовут Виктор. Я – преподаватель английского языка из школы «Лингвист».

Мой менеджер позвонил мне сегодня и сказал, что Вы хотите изучать английский язык.

Я решил отправить Вам письмо, чтобы решить организационные вопросы.
* В какое время Вам удобно заниматься?
* Какой у Вас уровень знания языка?
* Почему Вы хотите изучать английский?

Также я бы хотел узнать, где будет наш первый урок. Где и во сколько Вам удобно встретиться?

С уважением,
Виктор Леонтьев
+7 (999) 876-98-22

б) Представьте (*imagine*), что вы – это Елена. Позвоните Виктору от лица Елены. Придумайте ответы на все вопросы.

в) Прочитайте этот имейл ещё раз и вставьте пропущенные слова.

1. Мой менеджер _____ _____ сегодня по телефону и _____ , что Вы хотите изучать английский язык.
2. Я решил _____ _____ письмо, чтобы решить организационные вопросы.

---

4 **а) Грамматика |**
Дательный падеж. Адресат / The dative case. Addressee

Это он.   Это я.

Он отправил <u>мне</u> письмо. Я – адресат.

кому?

Субъект	Дательный падеж
я	мне
ты	тебе
он	ему
она	ей
оно	ему
мы	нам
вы	вам
они	им

Пример

* Я отправил тебе письмо.
* Ты позвонил ей.
* Он сказал им.
* Вы сказали нам.

б) Новые слова |
Глаголы + Дательный падеж / Verbs + The dative case

1. дав**а**ть / дать
2. дар**и**ть / подар**и**ть
3. говор**и**ть / сказ**а**ть
4. звон**и**ть / позвон**и**ть
5. нр**а**виться / понр**а**виться
6. отправл**я**ть / отпр**а**вить
7. помог**а**ть / пом**о**чь
8. рекомендов**а**ть / порекомендов**а**ть
9. расск**а**зывать / рассказ**а**ть

Примеры
* Я помогаю <u>тебе</u>.
* Вы рекомендуете <u>мне</u>.
* <u>Мне</u> нравится она.

в) Пишите слова в скобках в правильной форме.

1. Что ты сказал (она) _____?
2. Я хочу подарить (ты) _____ подарок.
3. Я сказала (он) _____ , что сегодня у нас корпоративная вечеринка.
4. Он отправил (я) _____ длинное письмо, которое я прочитаю позже.
5. (Мы) _____ нравится работать в этом новом офисе.
6. Что вы порекомендуете (я) _____?
7. Можно позвонить (вы) _____ сегодня вечером?
8. Я хочу помочь (они) _____ .

г) Вставляйте слова из рамки.

> дать   подарить
> сказать   позвонить
> нравиться   ~~отправить~~
> помочь   порекомендовать

1. Мне нужно ___отправить___ вам письмо до вечера?
2. Я хочу _____ тебе по телефону сегодня.
3. Можешь _____ мне номер телефона?
4. Я хочу _____ тебе этот маленький сувенир.
5. Мне _____ смотреть этот фильм в Новый год.
6. Я хочу _____ тебе правду.
7. Что вы можете _____ мне в этой ситуации?
8. Можешь, пожалуйста, _____ мне с моей проблемой?

д) Составьте предложения по модели.

нравиться

❶ МЫ   ТЫ

_____Нам нрав__ишь__ся ты._____

❷ Я   ОН

_____

❸ ОН   ОНА

_____

❹ ОНИ   Я

_____

❺ ВЫ   ОНИ

_____

5   а) Новые слова |
Глаголы + Дательный падеж 2 /
Verbs + The dative case 2

> 1. в**е**рить / пов**е**рить
> 2. обещ**а**ть / пообещ**а**ть
> 3. объясн**я**ть / объясн**и**ть
> 4. пок**а**зывать / показ**а**ть
> 5. сов**е**товать / посов**е**товать

Примеры

- Я тебе не <u>верю</u>. Ты всегда так говоришь!
- Я <u>обещаю</u> тебе. Я это сделаю.
- Я хочу <u>показать</u> тебе фотографии.
- Они не понимают. Я хочу <u>объяснить</u> им это.
- Что ты <u>посоветуешь</u> делать мне в этой ситуации?

б) Пишите слова из рамки в правильной форме.

> объяснить
> верить   показать
> советовать
> обещать

❶

А: Не может быть! Я тебе не

_____ !

Б: Это правда! Я слышала, люди говорили, что для этой страны виза теперь не нужна.

❷

А: Я не понимаю! Ты можешь мне всё

_____ ?

Б: Это как раз то, чем я сейчас и занимаюсь!

❸

А: Я хочу

_____

тебе мою презентацию.
Б: Я _____
тебе переделать её. Это не наш формат!

❹

А: Ты всегда так говоришь!
Б: Нет! На этот раз я

_____

тебе сделать это.
У меня есть гарантии.

---

6   а) Грамматика |
Дательный падеж. Существительные и прилагательные /
The dative case. Nouns and adjectives

**Читайте примеры и заполняйте пропуски
в таблице окончаний внизу.**

Это мой коллега.   Это мой директор.

- Мой коллега отправил письмо мо**ему** директор**у**.

Это мой коллега.   Это моя мама.

- Мой коллега позвонил мо**ей** мам**е**.

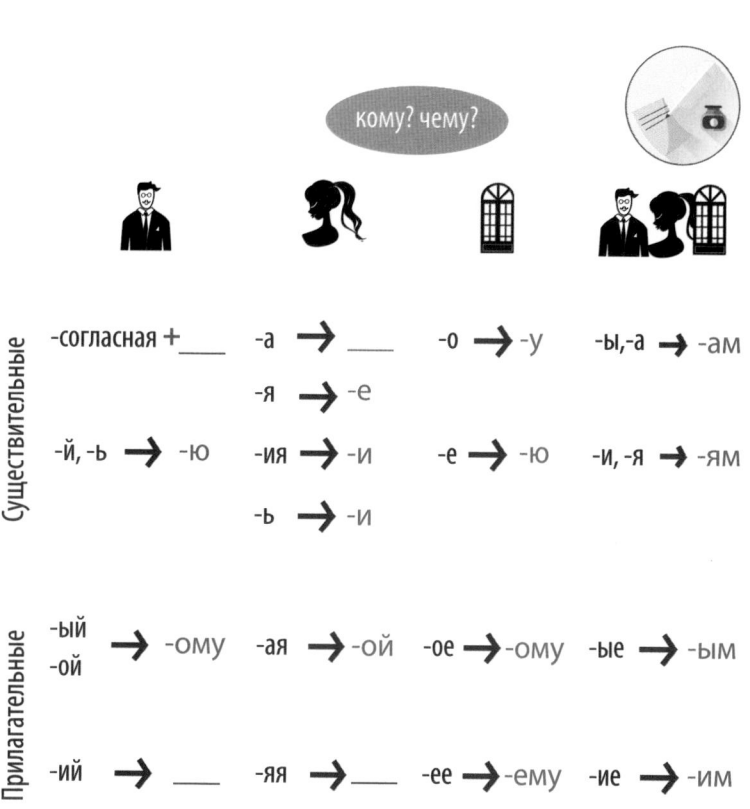

кому? чему?

Существительные			
-согласная +___	-а → ___	-о → -у	-ы,-а → -ам
	-я → -е		
-й, -ь → -ю	-ия → -и	-е → -ю	-и, -я → -ям
	-ь → -и		

Прилагательные			
-ый -ой → -ому	-ая → -ой	-ое → -ому	-ые → -ым
-ий → ___	-яя → ___	-ее → -ему	-ие → -им

б) Кому Михаил отправил письмо?

отправить письмо

жена ① ② сын ③ сестра ④ папа

1. Михаил отправил письмо жене.

в) Кому Анна позвонила?

позвонить

муж ① ② подруги ③ друг ④ коллега

г) Составьте предложения.

1. Я / обещать / моя жена
   <u>Я обещал моей жене.</u>

2. Я / сказать / мой директор
   _____

3. Ты / отправить / письмо / наш / хороший / друг
   _____
   _____

4. Я / объяснять / грамматика мои / студенты
   _____
   _____

д) Составьте предложения со словами внизу. Используйте дательный падеж и новые глаголы (стр. 93, 94).

1. Моя мама
   Ты обещал моей маме сделать это!
2. Мой сын
3. Мой коллега
4. Твой друг
5. Ваш муж
6. Моя дочка
7. Твоя сестра
8. Мой брат
9. Наша бабушка
10. Мой старый друг

7 Ролевая игра

Студент А
Читайте роль в 6.3–7 на стр. 157.

Студент Б
Вас зовут Антон. Вчера вы отправили отчёт коллеге, но он ничего не ответил. Тема письма была «отчёт за месяц». Позвоните ему и узнайте, почему он не ответил вам.

ОБЗОР
Глава 6. НА РАБОТЕ

1 **Соедините названия профессий (1–10) и деятельность (а–и).**

1. полицейский

2. повар

3. парикмахер

4. адвокат

5. продавец

6. официант(ка)

7. уборщик(ца)

8. учитель(ница)

9. врач

10. медсестра

а) Он готовит еду в ресторане.
б) Он продает.
в) Он приносит еду в ресторане или кафе.
г) Он убирает в доме, офисе, ресторане и т. д.
д) Он лечит пациентов.
е) Она помогает доктору.
ё) Он делает волосы красивыми.
ж) Он учит людей в школе.
з) Он контролирует порядок в городе.
и) Он знает все законы и помогает с документами.

2 **Пишите местоимения в правильной форме. Можете посмотреть примеры.**

- Я вижу <u>тебя</u> – винительный падеж
- У <u>тебя</u> есть – родительный падеж
- Я иду <u>с тобой</u> – творительный падеж
- Я сказал <u>тебе</u> – дательный падеж

Субъект	Родительный / Винительный падеж	Творительный падеж	Дательный падеж
я	_____	мной	мне
ты	тебя	_____	тебе
он	(н)его	_____	_____
она	(н)её		
оно		(н)им	ему
мы	_____	нами	нам
вы	вас	вами	_____
они	(н)их		им

3 **Составьте предложения по модели.**

1. Я / работать / врач
   <u>Я работаю врачом.</u>

2. Я / хотеть / быть / стюардесса
   _____

3. Я / хотеть / стать / медсестра
   _____

4. Я / объяснять / грамматика / мои / студенты
   _____

5. Мальчик / хотеть / быть / президент
   _____

4 **Пишите слова в скобках в правильной форме.**

1. Я сказал (мой друг)
   _____

2. Я обещал (моя сестра)
   _____

3. Учитель объясняет грамматику (школьники)
   _____

4. Я всегда помогаю (мои близкие друзья)
   _____

5. Я посоветовал (мой папа)
   _____

6. Я отправил письмо (твой сын)
   _____

5 **Вставляйте «за» или «что».**

1. Извините, _____ позвонил вам так поздно.
2. Извините _____ это.
3. Спасибо _____ всё!
4. Спасибо, _____ рассказал моей маме!
5. Извините, _____ информирую вас так поздно!

6   Работа с видео (видео 6)

Ссылка на видео:
фрагмент 0:15–3:57.
Передача «Мелочи жизни»
https://www.youtube.com/watch?v=y2o6iU-
xxfl&list=PLTg5fEXojXbqL029TXk-9KvADdToV71rY&index=17
Сайт канала: https://www.youtube.com/user/EktbTV/

а) Отвечайте на вопросы.

- Вы знаете, что такое стресс?
- Когда люди чувствуют стресс?
- Как вы думаете, почему люди чувствуют стресс на собеседовании?

б) Читайте текст о передаче. Какая тема будет обсуждаться в видеосюжете?

Передача «Мелочи жизни» идёт на канале ЕТВ.
В ней обсуждают важные для людей вопросы. В этом выпуске идёт речь о собеседовании. Ведущая Ольга Новгородова расскажет, как она проходила собеседование.

в) Прочитайте и переведите новые фразы. Придумайте предложения с каждой фразой.

1. Тема нашей передачи ...
2. Сегодня речь идёт о ...
3. При приёме на работу важно ...
4. У меня был такой случай ...
5. Давным-давно ...
6. Устраиваться на должность ...
7. Вакансия ... подразумевает максимальную открытость
8. Желание общаться с людьми.
9. Вы закрыты для общения
10. Скрещённые ноги
11. Вы нам не подходите

г) Новые слова
Угадайте значение слов из контекста.

зарплата	<u>Зарплата</u> – это деньги, которые человек получает за работу.
вести себя	Она <u>ведёт себя</u> как ребёнок.
подать себя	Она умеет <u>подать себя</u>. У неё хорошие манеры.
выглядеть	Ты сегодня отлично <u>выглядишь</u>! У тебя новый костюм?

д) Грамматика |
ПО + Дательный падеж (техника)

ПО	+	Дательный падеж

Примеры

- Я говорю по телефону.
- Я смотрел по телевизору.
- Я отправил по факсу.

1. Сегодня мы поговорим по (Скайп) _____.
2. Я отправил фотографию по (электронная почта) _____.

е) Смотрите видеосюжет. Что правда, а что нет?

1. Ведущая не знает, как нужно вести себя на собеседовании.
2. Она пришла вовремя.
3. У неё были скрещённые ноги.
4. Она ничего не сказала на собеседовании.
5. Она прошла собеседование.

ё) Смотрите видеосюжет ещё раз. Почему она не прошла собеседование?

ж) Обсуждайте в группе.

У вас когда-нибудь были стрессовые собеседования? Расскажите о них.

Твой день рождения <u>десятого октября</u>. **21**

Ты идёшь на вечеринку с <u>братом</u>. **20**

Это машина <u>моей сестры</u>. **17**

В <u>марте</u> у меня отпуск. **16**

Сегодня я встречаюсь с <u>друзьями</u>. **22**

Я обещал <u>моей маме</u>. **19**

Это подарок для <u>моего брата</u>. **18**

Я не работаю в <u>среду</u>. **15**

Мы едем в <u>Москву</u>. **23**

Cases	Вопросы
Nominative	кто? что?
Genitive	кого? чего? (откуда? когда? чей? чья? чьё? чьи? где? сколько?)
Accusative	кого? что? (куда? когда?)
Prepositional	о ком? о чём? (где? когда?)
Instrumental	кем? чем? (где?)
Dative	кому? чему?

Я люблю <u>тебя</u>. **14**

Это карта <u>Парижа</u>. **24**

Человек не может жить без <u>воды</u>. **13**

Мы живём в <u>Нью-Йорке</u>. **25**

Я позвонил <u>твоему брату</u>. **12**

У него есть <u>3 друга</u>. **26**

Как играть:

Игроки по очереди бросают кубик и делают нужное количество шагов. На каждой клетке игрового поля есть предложение. Игроки должны задать вопрос (ask a question) к предложению и назвать падеж <u>подчёркнутых</u> слов. Если игрок не знает ответ, он должен посмотреть раздел «Грамматика» (стр. 142–147). Если второй игрок попал на клетку, где уже был другой игрок, он делает + 1 ход вперёд.
Победитель – игрок, который первым пришёл на финиш.

Я хочу быть <u>хорошим врачом</u>. **11**

Лампа над <u>кухонным столом</u>. **27**

Кошка спит под <u>белым диваном</u>. **10**

Он пожелал мне <u>удачи</u>! **28**

У Альберта есть <u>телефон</u>. **9**

ФИНИШ
Я из <u>Москвы</u>. **29**

Я живу рядом <u>с тобой</u>. **8**

СТАРТ **1**
Это дом <u>Сергея</u>.

Я люблю слушать <u>музыку</u>. **3**

Я хочу воду с <u>газом</u>. **4**

У меня нет <u>машины</u>. **7**

Я живу на <u>девятом этаже</u>. **2**

Это мой <u>брат</u>. **5**

У <u>Марии</u> есть телефон. **6**

7 ДОСУГ

1 **Обсуждайте в группе.**

- У вас много свободного времени?
- Что вы любите делать в свободное время?

2 **а) Новые слова |**
Досуг / Leisure

Прочитайте варианты досуга. Разделите их на 2 группы.

я люблю	я не люблю

1. встречаться с друзьями
2. смотреть кино
3. слушать музыку
4. играть в компьютерные игры
5. играть в спортивные игры
6. читать книги и журналы
7. сидеть в Интернете
8. фотографировать

б) Прочитайте фразы и зачеркните слова, которые нельзя использовать с этими глаголами.

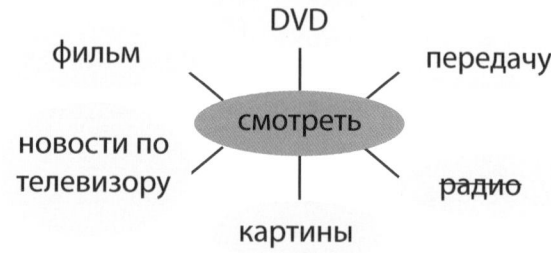

DVD
фильм — смотреть — передачу
новости по телевизору
~~радио~~
картины

классику
музыку — слушать — радио
новости по радио
газету
рок-музыку

в бильярд
в гольф — играть — на гитаре
в настольные игры
в спорт
в футбол

Я ЛЮБЛЮ МУЗЫКУ

3 а) Грамматика |
Глагол «нравиться» / The verb "to like"

Мне нравится этот дом!

Мне нравится эта машина!

Мне нравится это окно!

Мне нравятся эти люди!

б) Прокомментируйте эти вещи. Вам они нравятся или нет?

Пример: Мне нравится эта картина.

в) Составьте предложения с этими словами в прошедшем времени.

Пример: Мне понравилась эта картина.

г) Составьте предложения.

1. Я / нравиться / это / актриса
   Мне нравится эта актриса.

2. Ты / нравиться / это / картина
   _____

3. Он / нравиться / это / дом
   _____

4. Она / нравиться / это / книга
   _____

5. Мы / нравиться / это / фильм
   _____

6. Вы / нравиться / это / актёры
   _____

7. Они / нравиться / это / цветы
   _____

4 Новые слова |
Жанры / Genres

Отвечайте на вопросы. Выбирайте слова из рамки.

а) Какие фильмы вам нравятся?

боевики   ужасы
мелодрамы   комедии
фантастика   мюзиклы
документальные фильмы
мультфильмы

б) Какая музыка вам нравится?

классическая музыка
поп-музыка   рок   джаз
хип-хоп   R'n'B   кантри
шансон   народная музыка
электронная музыка

в) Какие книги вам нравятся?

детективы   романы
художественная литература
мемуары   биографии
учебная литература

5 **а)** Обсуждайте в группе. У вас есть любимый актёр или актриса? Как их зовут? Где они играли?

б) Это Юлия. Юлия живёт в России. Сегодня она даёт интервью. Читайте интервью и отвечайте на вопросы.

• Как называется её любимый фильм?
• Как зовут её любимых актёров?

Журналист: Юлия, скажи, ты любишь смотреть кино? Часто его смотришь?

Юлия: Да, я очень люблю смотреть кино! Раньше я смотрела всё подряд. Сейчас у меня мало времени для этого. Поэтому я внимательно выбираю, какой фильм посмотреть.

Журналист: А у тебя есть фильм, который ты можешь смотреть много раз? Как он называется?

Юлия: У меня несколько таких фильмов. Один из них называется «Любовь и голуби». Он русский, смешной и очень добрый.

Журналист: А скажи, пожалуйста, у тебя есть любимый актёр или актриса? Как их зовут?

Юлия: У меня много любимых актёров и актрис, поэтому сложно выбрать. Мне нравятся Мэрил Стрип и Кира Найтли. А актеры … Игорь Петренко и Джонни Депп.

в) Прочитайте интервью ещё раз и вставьте пропущенные слова в предложения.

1) У меня несколько таких фильмов. Один из них _____ «Любовь и голуби». Он русский, смешной и очень добрый.
2) А скажи, пожалуйста, у тебя есть любимый актёр или актриса? Как их _____ ?

6 **а)** Грамматика |
«зовут» или «называется»

Это женщина. Её <u>зовут</u> Тамара.

Это книга. Она <u>называется</u> «Мастер и Маргарита».

б) Вставляйте «зовут» или «называется».

1. Как _____зовут_____ вашу маму?
2. Как _____ этот фильм?
3. Как _____ этого актёра?
4. Как _____ эта песня?
5. Как _____ этого музыканта?
6. Как _____ столица США?
7. Как _____ этот салат?
8. Как _____ твоего папу?
9. Как _____ президента? _____
10. Как _____ твою собаку?

7 а) Грамматика |
Винительный падеж + «зовут» /
The accusative case + "зовут"

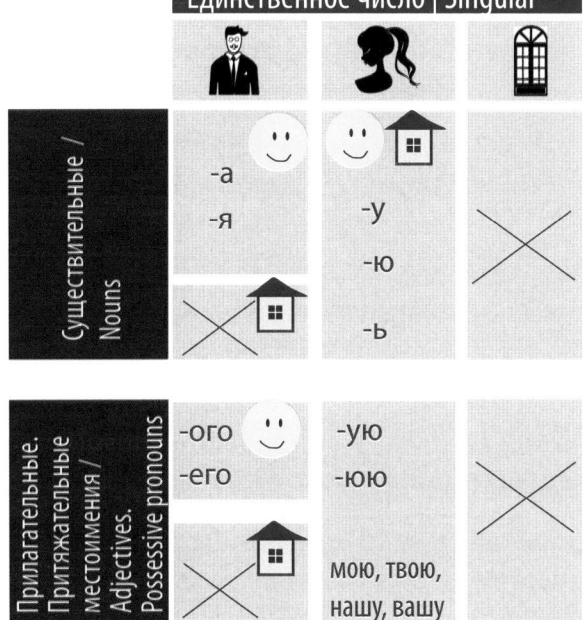

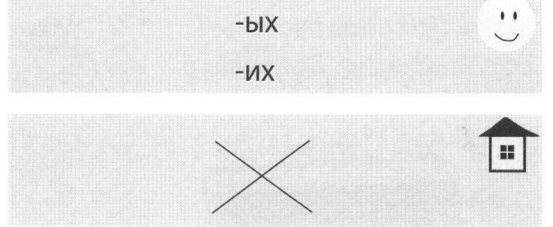

б) Пишите слова в скобках в правильной форме и отвечайте на вопросы.

1. Как зовут (ваша подруга)
   вашу подругу _____ ?
   Мою подругу зовут Юлия. _____

2. Как зовут (твоя сестра) _____
   _____ ?

3. Как зовут (ваша собака / кошка)
   _____ ?

4. Как зовут (ваш брат и ваша сестра)
   _____ ?

5. Как зовут (ваш директор) _____
   _____ ?

6. Как зовут (ваш любимый актёр)
   _____ ?

7. Как зовут (ваша любимая актриса)
   _____ ?

8. Как зовут (ваш любимый музыкант)
   _____ ?

9. Как зовут (ваш папа и ваша мама)
   _____ ?

10. Как зовут (ваши дети) _____
    _____ ?

11. Как зовут (ваш друг или ваша
    подруга) _____ ?

8 Игра «Эрудит»

Как играть
Студент А должен придумать вопрос. Кто первый сказал правильный ответ, получает очко. Если никто не знает правильный ответ, студент А получает очко. Победитель – игрок, который набрал больше всех очков. Это должны быть вопросы про фильмы, актёров, музыкантов или города.

Примеры

Какой советский фильм получил «Оскар»?

Как называется самая высокая гора в мире?

Как зовут актёра, который играл главную роль в фильме «Титаник»?

Как зовут актрису, которая играла главную роль в фильме «Завтрак у Тиффани»?

Как звали архитектора, который создал парк Гуэль в Барселоне?

7.2 ЭТО ФИЛЬМ О ЛЮБВИ

1 Обсуждайте в группе.

- Какой был последний фильм, который вы посмотрели?
- Какая была последняя книга, которую вы прочитали?
- У вас есть любимый фильм или книга?

2 а) Посмотрите на обложки книг. Вы знаете эти книги?

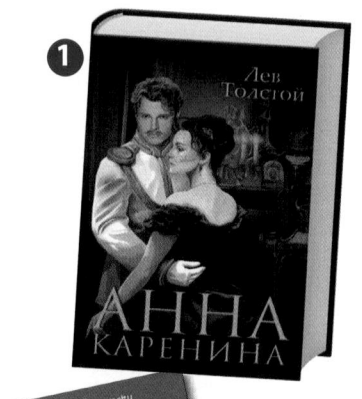

❶

❷

❸

б) Прочитайте описание фильма / книги. Соотнесите описания и фотографии из № 2а.

ⓐ Это аллегорическая сказка о пилоте, который встретил в пустыне Сахара маленького мальчика с другой планеты. Все рисунки в книге сделал сам автор.

ⓑ Это сказка, которую написал английский математик. Это лучшая сказка в жанре абсурда. История рассказывает о девочке, которая попадает в нереальный мир под землёй.

ⓥ Это роман о трагической любви замужней женщины по имени Анна и офицера.

в) Прочитайте № 2б ещё раз. Вставьте пропущенные окончания в слова.

- Это аллегорическая сказка о пилот_____.
- История рассказывает о девочк_____.
- Это роман о трагическ_____ любв_____.

3 а) Грамматика |

Предложный падеж после предлога «о» (объект мысли) /
The prepositional case after the preposition "о" (object of thought)

о ком? о чём?

Существительные				
согласная + -е	-а → -е	-о → -е	-ы, -а → -ах	
	-я → -е			
-й, -ь → -е	-ь → -и	-е → -е	-и -я → -ях	
-ий, -ия, -ие →	-ии			

Прилагательные				
-ый -ой → -ом	-ая → -ой	-ое → -ом	-ые → -ых	
-ий → -ем	-яя → -ей	-ее → -ем	-ие → -их	

б) Отвечайте на вопросы. Используйте слова в скобках.

1. О ком вы говорите? (наш друг)
   Я говорю о нашем друге.
2. О чём вы думаете? (политика)
3. О чём вы мечтаете? (новая машина)
4. О чём этот фильм? (красивая любовь)
5. О чём эта книга? (биография артиста)
6. О чём ты хотел мне сказать? (наши проблемы)
7. О чём этот фильм? (Санкт-Петербург)

Важно знать!

о + согласная	о планете
об + гласная	об океане
(кроме я, е, ю, ё)	о яблоке

в) О чём думает Анна?

1 новая машина
2 красивый дом
3 интересный фильм
4 вкусный ужин
5 образование
6 дети

4 Произношение |
Предлоги «о / об» | Prepositions "о / об"

7.2–4

Послушайте аудиозапись и повторите эти фразы.

о / об = [а / аб]	об + и, и = [ы]
Я думал об этом.	Книга об Италии.
О чём ты думаешь?	Фильм об Испании.
О чём ты говоришь?	Мы говорим
О ком ты говоришь?	об Ирине.

5 а) Посмотрите на кадры из фильмов и прочитайте их названия. Как вы думаете, о чём эти фильмы?

❶

комедия «Загорелые на лыжах»

❷

фильм «Чудо на 34-ой улице»

❸

фильм «Ужин для одного»

❹

сказка «Морозко»

❺

фильм «Эта прекрасная жизнь»

б) В разных странах есть традиции смотреть на новогодние праздники (Рождество, Новый год) одни и те же фильмы. Прочитайте статью о популярных фильмах в разных странах. Ответьте на вопрос.

- Какие фильмы смотрят в разных странах на новогодние праздники?

ЧТО ПОСМОТРЕТЬ В НОВОГОДНИЕ ПРАЗДНИКИ?

Каждый год 31-ого декабря почти вся Россия смотрит один и тот же фильм – «Ирония судьбы, или С лёгким паром!» Мы решили узнать, что смотрят в новогодние праздники в других странах мира.

ЧТО СМОТРЯТ В НОВЫЙ ГОД В РАЗНЫХ СТРАНАХ МИРА?

ЧЕХИЯ и СЛОВАКИЯ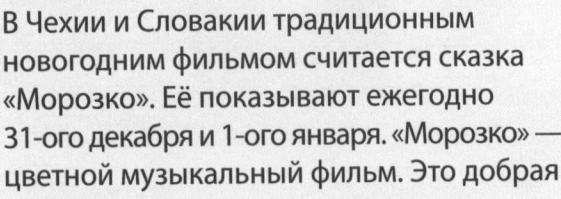

В Чехии и Словакии традиционным новогодним фильмом считается сказка «Морозко». Её показывают ежегодно 31-ого декабря и 1-ого января. «Морозко» — цветной музыкальный фильм. Это добрая сказка со счастливым концом.

ГЕРМАНИЯ

В Германии уже много лет традиционно смотрят фильм «Ужин для одного» (англ. Dinner for One). Этот короткий скетч на английском языке. Фильм давно стал культовым, и по его мотивам снято много вариантов, также и на немецких диалектах.

США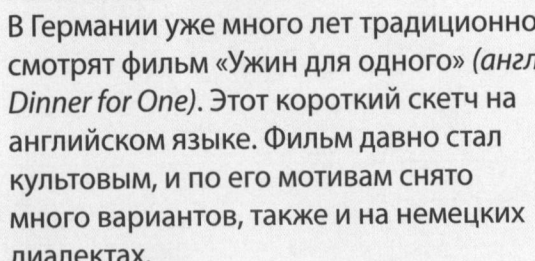

«Эта прекрасная жизнь» (англ. It's a Wonderful Life) – кинофильм режиссёра Фрэнка Капры (1946). Главный герой фильма устал от проблем и решил совершить самоубийство, но ангел-хранитель помогает ему увидеть, насколько его жизнь помогла другим людям. Главные роли исполняют Джеймс Стюарт и Донна Рид.

ФРАНЦИЯ

У французов нет одного новогоднего фильма. Каждый год по телевидению показывают старые фильмы. Один из самых популярных – «Загорелые на лыжах». Действие происходит на горнолыжном курорте. Это отличный фильм, чтобы лучше узнать французов.

КАНАДА

В Канаде каждый год показывают комедию 1947-ого года «Чудо на 34-ой улице». Старик, который играет роль Санта-Клауса в супермаркете, решил не дарить детям старые игрушки. Вместо этого он отправляет родителей детей за хорошими подарками. Но это нравится не всем… За роль Санта-Клауса актёр Эдмунд Гвенн получил «Оскар».

в) Новые слова |
Кино / Movie

Прочитайте слова слева. Вы понимаете, что они значат? Если вы не знаете эти слова, прочитайте предложения справа и угадайте значения слов из контекста.

сю**же**т	Я расскажу тебе сюжет этого фильма.
сцен**а**рий	Он писал сценарий фильма 3 года.
персон**а**ж	Этот актёр ненавидит своего персонажа, потому что он злой.
гл**а**вный гер**о**й / гл**а**вная геро**и**ня	Анна Каренина – это главная героиня романа Льва Толстого.
д**е**йствие	Действие фильма происходит в Риме.

г) Обсуждайте в группе.

- У вас в стране есть традиционные фильмы для новогодних праздников?
- Расскажите о них.
- Как они называются?
- Какие актёры в них играют?
- Расскажите их сюжет.

6   а) Грамматика |
Предложный падеж. Личные местоимения
The prepositional case. Personal pronouns

о ком? о чём?

Субъект	Предложный падеж
я	обо мне
ты	о тебе
он	о нём
она	о ней
оно	о нём
мы	о нас
вы	о вас
они	о них

Я думаю о тебе!

б) Составьте предложения.

1. ты / говорить / о / я / ?
   _____
2. это / статья / о / ты / ?
   _____
3. я / читать / о / он /
   _____
4. я / знать / много / о / она
   _____
5. вы / знать / о / мы / ?
   _____
6. мы / думать / о / вы
   _____
7. я / хотеть / рассказать / о / они
   _____

7   Перед вами история любви актрисы и художника. Посмотрите на картинки и расскажите сюжет этого фильма.

Художник / познакомиться / с / девушка

Она / уехать / на / поезд

Он / увидеть / её / по / телевизор

Он / узнать / где / её / дом

Он / подарить / много / цветы

Она / понравиться / его / подарок

7.3 КУДА ВЫ ОБЫЧНО ХОДИТЕ?

1 Произношение |
Ассимиляция согласных

**Послушайте
и прочитайте слова
и фразы.**

7.3-1

> **зж = [жж]**
> я е<u>зж</u>у
> по<u>зж</u>е
> и<u>з Ж</u>еневы
> и<u>з Ж</u>итомира
> бе<u>з ж</u>ены
>
> **зш = [шш]**
> бе<u>з ш</u>ампуня
> бе<u>з ш</u>ансов
> и<u>з Ш</u>анхая
> и<u>з Ш</u>веции
> и<u>з Ш</u>вейцарии

2 Новые слова |
Афиша / Event guide

**Посмотрите на афишу.
Куда бы вы хотели пойти?**

АФИША
КИНО
КОНЦЕРТЫ
ВЫСТАВКИ
ТЕАТР
РЕСТОРАНЫ
КВЕСТЫ
МАТЧИ

**3 а) Послушайте диалог.
Отметьте, куда они пойдут.**

7.3-3

- ☐ галерея
- ☐ кинотеатр
- ☐ концерт
- ☐ музей
- ☐ футбольный матч
- ☐ фотовыставка
- ☐ парк

**б) Послушайте диалог ещё раз.
Ответьте на вопросы. Если текст
слишком трудный, прочитайте его
на стр. 165 в 7.3–3.**

1. Что девушка предложила вначале?
2. Что не любит молодой человек?
3. Куда они ходят слишком часто?
4. Куда ходит молодой человек каждую
   неделю?
5. Какая команда сегодня играет?
6. Куда они решили пойти?

в) Ролевая игра

**Вы (студент А и студент Б)
хотите вместе пойти куда-нибудь
(somewhere). Смотрите на афишу
(№ 2а) и решайте, куда вы пойдёте.**

Студент А
Вы ненавидите музеи. Вам
нравится ходить на концерты.

Студент Б
Вы ненавидите футбол и кино.
Вы обожаете музеи и театры.

г) Новая фраза

Прочитайте диалог в 7.3–3 на стр. 165 и найдите предложение, которое нужно вставить в диалог ниже.

❶ Давай пойдём гулять в парк!

❷ Не хочу!

❸ А может, пойдём в кафе есть мороженое?

❹ Вот, теперь я понимаю! Это _____ _____
_____
_____

4   а) Грамматика |
   Глаголы движения / Verbs of motion

Прочитайте 2 примера (ниже). Какая разница между глаголами «идти» и «ходить»?

* Я сейчас <u>иду</u> в парк.
* Я каждый день <u>хожу</u> в парк.

идти 🏃 ехать 🚗	ходить 🏃 ездить 🚗
в одну сторону, сейчас, сегодня	туда и обратно, в разных направлениях, каждый день, регулярно, никогда

б) Выберите правильный глагол – «идти» или «ходить».

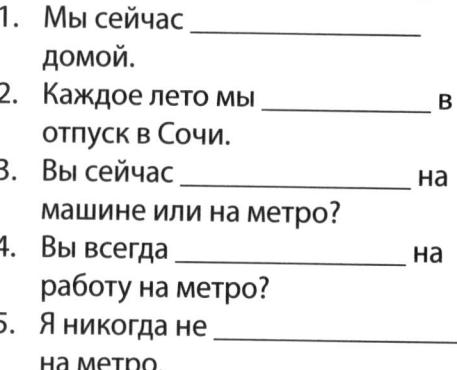

1. Куда ты сейчас _____?
2. Мои дети большие, и они уже _____ в школу.
3. Я каждый день _____ на работу.
4. Сегодня вечером мы _____ в театр.
5. Мы раз в месяц _____ в театр.
6. Я часто _____ в банк.

в) Выберите правильный глагол – «ехать» или «ездить».

1. Мы сейчас _____ домой.
2. Каждое лето мы _____ в отпуск в Сочи.
3. Вы сейчас _____ на машине или на метро?
4. Вы всегда _____ на работу на метро?
5. Я никогда не _____ на метро.

г) Обсуждайте в группе.

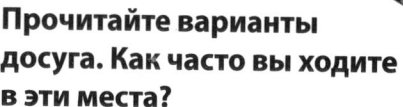

Прочитайте варианты досуга. Как часто вы ходите в эти места?

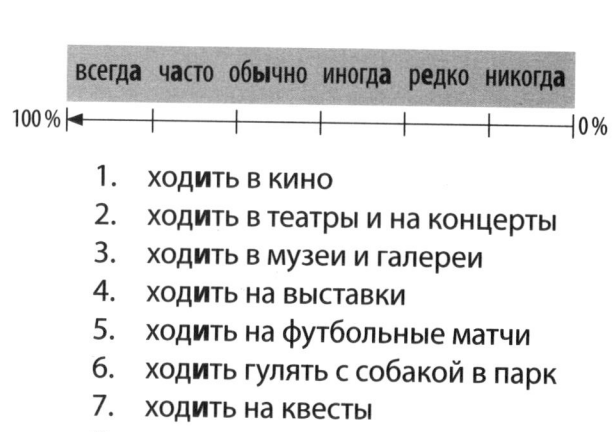

всегда часто обычно иногда редко никогда
100% |————|————|————|————|————| 0%

1. ходить в кино
2. ходить в театры и на концерты
3. ходить в музеи и галереи
4. ходить на выставки
5. ходить на футбольные матчи
6. ходить гулять с собакой в парк
7. ходить на квесты
8. ездить в разные города
9. ходить в фитнес-клуб

д) Выберите глагол из рамки и напишите его в правильной форме.

> идти   ходить   ехать
> ездить

1. Куда вы обычно __ездите__ в отпуск?
2. На выходные мы обычно _____ на концерты или в театры.
3. Ваши дети уже _____ в школу?
4. Мы сейчас _____ в парк гулять с собакой.
5. Я сейчас _____ на такси, а обычно я _____ на автобусе.
6. Они _____ медленно *(slowly)*, потому что сейчас на дорогах пробки.
7. Ты _____ со мной завтра на экскурсию в Суздаль?
8. Я никогда не _____ в этот клуб.
9. Я часто _____ в Казань по работе.

Важно знать!
Дождь идёт.
Снег идёт.
Время идёт.
Часы идут.
Фильм / концерт / спектакль идёт.
Вам идёт этот галстук! *(This tie suits you!)*

е) Вставляйте «идти» или «ходить» в правильной форме.

А: Что сегодня _____ по телевизору?
Б: Сегодня _____ мой любимый сериал по каналу «Мир».

А: Вы часто _____ в театр?
Б: Нет, только когда _____ хороший спектакль.

5   а) Обсуждайте в группе.

- У вас есть собака? (Когда-нибудь была собака?)
- Что нужно делать каждый день, если у вас есть собака?
- Какие породы собак вы знаете?

б) Новые слова |
Породы собак / Dog breeds

лабрадор   немецкая овчарка

французский бульдог   корги

в) Как |
спросить о породе собаки /   ask dog's breed

2 Это лабрад**о**р.

1 Извините, а что это за пор**о**да?

г) Два человека с собаками встретились в парке. Послушайте их диалог и ответьте на вопросы.

7.3-5

1. Какой породы их собаки?
2. Какого цвета обе собаки?
3. Почему один мужчина спросил другого о породе его собаки?
4. Куда они ездили, чтобы купить эту собаку?
5. Как зовут чёрную собаку?

6 а) Грамматика |
«Ходить» и «ездить» . Прошедшее время /
«Ходить» and «ездить». The past tense

**Прочитайте диалог в 7.3–5
на стр. 165. Вставьте пропущенное
слово в предложение.**

Мы специально _____
в Миннесоту, чтобы купить его.

Прошедшее время: вчера, позавчера, прошлым летом, на прошлой неделе	
ход**и**ть	• Вчера я ходил в театр.
ездить	• Прошлым летом я ездил в Америку.

**б) Перефразируйте предложения.
Используйте глаголы «ходить»
и «ездить».**

1. Вчера я был в музее.
   Вчера я ходил в музей.
2. Вчера она была в ресторане.
3. Вчера ты был в банке.
4. Вчера я была в школе.
5. Позавчера я был в аптеке.
6. На прошлой неделе я был
   в Новосибирске.
7. На прошлой неделе мы были
   в Москве.
8. Прошлым летом я был
   в Краснодаре.
9. Вчера я был в парке с собакой.
10. Позавчера мы были на выставке.
11. Позавчера ты был на квесте.
12. Вчера они были на концерте.

в) Составьте предложения по модели.

Модель: Я ходил / ездил в банк.

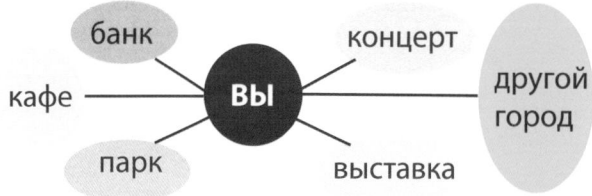

**г) Вставляйте глаголы «идти /
ходить», «ехать / ездить»
в правильной форме.**

1. Вчера мы ___ходили___
   в театр.
2. Прошлым летом мы _____
   в Черногорию.
3. Вчера, когда я _____
   в машине, я слушал радио.
4. Вчера, когда я _____
   домой, я слушал плеер.
5. Мы _____ в музей на
   прошлой неделе.

7 Ролевая игра

Студент А

Вы идёте домой с работы и
видите вашего соседа. Он
сегодня очень элегантный. Обычно
он носит спортивные костюмы. Вы
никогда не видели его в костюме. Вам
интересно знать, куда он идёт, почему
он так элегантно выглядит. Сделайте
ему комплимент. Скажите, что ему идёт
новый костюм. Поговорите с ним!

Студент Б

Вы идёте в театр. Вы очень любите
ходить в театр. Вы обычно раз
в неделю ходите в театр. Когда
вы идёте в театр, вы надеваете
элегантный костюм. Но вы также очень
спортивный
человек. Вы
любите ходить
на тренировки
в парк. В парк
вы, конечно,
надеваете
спортивный
костюм. Сейчас
вы увидели
соседку.
Поговорите с ней.

1 Какое слово лишнее? Почему вы так думаете?

1. боевик, мультфильм, ~~джаз~~, мелодрама
2. поп-музыка, фантастика, рок, кантри
3. детективы, романы, мюзиклы, учебная литература
4. мемуары, шансон, народная музыка, электронная музыка

2 Пишите слова в скобках в правильной форме.

1. Я думаю о (мой хороший друг)
   <u>моём хорошем друге</u> .
2. Эта книга рассказывает о (жизнь)
   _____ .
3. Он любит слушать (классическая музыка)
   _____ .
4. Я вижу (мой хороший друг)
   _____ .
5. Я рекомендовал это (наш клиент)
   _____ .
6. Он рассказал мне о (твоя работа)
   _____ .
7. Я читал это в книге о (Том Сойер)
   _____ .
8. Вчера я прочитал (интересная статья)
   _____ .
9. Ты говорил обо (я)
   _____ ?
10. Мы знаем (ваш новый директор)
    _____ .
11. Я сказал об этом (мой коллега)
    _____ .
12. Это фильм о (история России)
    _____ .

3 Выберите глагол из рамки и напишите его в правильной форме.

> идти   ходить   ехать
> ездить

1. Каждое утро я   хожу   на работу.
2. Каждое лето я _____ в отпуск на Байкал.
3. Мои дети уже большие и не _____ в школу.
4. Я _____ с собакой в парк каждое утро и каждый вечер.
5. Я сейчас _____ на метро.
6. Куда ты _____? Уже 11 часов вечера.
7. Вчера я _____ в музей.
8. Каждый месяц они _____ в театр.
9. Прошлым летом мы _____ в Канны.
10. Каждый год он _____ в Италию.

4 Составьте предложения по модели.

1. Я / любить / хорошая / музыка
   <u>Я люблю хорошую музыку.</u>
2. Я / думать / о / новый / фильм
   _____
3. Лето / они / ездить / в / Калифорния
   _____
4. Он / знать / моя / сестра
   _____
5. Вы / говорить / о / студенты
   _____
6. Вчера / он / рассказать / мы / о / твои / проблемы _____
   _____

5 **Работа с видео (видео 7)**

Ссылка на видео:
https://www.youtube.com/c/IrinaMozelova

а) Обсуждайте в группе.

1. Какой ваш родной язык? А какие иностранные языки вы знаете?
2. Как вы думаете, изучение иностранных языков может быть хобби?
3. У вас есть знакомые, которые любят изучать иностранные языки как хобби?
4. А для чего вы изучаете иностранные языки (для работы, хобби и т.д.)?

б) Это Юлия Теклюк. Юлия лингвист по образованию. Она работает преподавателем и методистом. Прочитайте текст о Юлии и ответьте на вопросы.

1. Какие языки знает Юлия?
2. Какие языки являются для неё родными?
3. Что Юлия любит?

> Всем привет!
> Меня зовут Юлия Теклюк.
> Я лингвист из Киева. Я говорю по-украински, по-русски и по-английски.
> Украинский и русский – это мои родные языки. Я очень люблю историю языка.
> Языки – это моя работа и хобби.

в) Грамматика | Языки

русский язык	по-русски / на русском языке
• изучать • знать	• говорить • читать • писать

Составьте предложения по модели.

1. ~~украинский~~
Мы знаем украинский язык.
Мы говорим на украинском языке.
Мы говорим по-украински.
2. английский
3. китайский
4. итальянский
5. французский
6. арабский
7. испанский
8. греческий

г) Новые слова

Угадайте значение слов из контекста.

произносить / произнести	Я не могу произнести его имя. Оно очень сложное.
выдавать	Когда я говорю по-английски, мой акцент выдаёт, что я русская.
звук	В русском языке нет этого звука. Мне трудно произнести его.
звучать	В русском языке безударная «о» звучит как «а».
буква	Буква – это символ, который используют люди, чтобы писать.
владеть языком	Владеть языком – это значит уметь говорить на этом языке.
ложные друзья переводчика	Ложные друзья переводчика – это слова из другого языка, которые звучат так же, но имеют другое значение.

д) Прочитайте диалоги внизу. Угадайте значение подчёркнутых слов из контекста.

1.	р**а**зница	
2.	один**а**ковое	
3.	различ**а**ться	
4.	пох**о**жий	
5.	им**е**ть знач**е**ние	
6.	сда**ю**сь	

Диалог 1

Студент: Какая <u>разница</u> между словами «дедушка» и «девушка»?
Преподаватель: Девушка – это молодая женщина, а дедушка – это отец мамы или папы.

Диалог 2

Студент: Какие слова <u>одинаковые</u> в русском и английском языках?
Преподаватель: Слово «телефон». Но они будут <u>различаться</u> в написании, потому что в русском используется кириллица.

Диалог 3

Студент: Какие слова в русском и украинском языках похожие?
Преподаватель: Русское слово «солнце» очень <u>похоже</u> на украинское «сонце».

Диалог 4

Студент: Что значит в английском языке слово «computer»?
Преподаватель: В английском и в русском языке это слово <u>имеет одинаковое значение.</u>

Диалог 5

А: Угадай, что значит по-французски «déjà vu».
Б: Я не знаю. <u>Сдаюсь!</u>
А: Это значит «уже видел».

е) Посмотрите видеосюжет о русском и украинском языках. Отметьте слова, которые имеют одинаковое значение в русском и в украинском.

- ☐ 1. любовь
- ☐ 2. качка
- ☐ 3. золото
- ☐ 4. краватка
- ☐ 5. молоко
- ☐ 6. дерево

ё) Посмотрите видеосюжет ещё раз. Отметьте, это правда или нет.

1. В украинском алфавите 35 букв. ☐ ☐
2. В украинском языке есть буквы, которых нет в русском языке. ☐ ☐
3. Слово «краватка» имеет одинаковое значение в русском и украинском языке. ☐ ☐
4. Слово «возраст» имеет одинаковое значение в русском и украинском языке. ☐ ☐

ж) Ответьте на вопросы.

1. Сколько букв в алфавите в вашем родном языке?
2. В вашем языке есть слова, которые похожи на русские слова? Какие это слова?
3. Какие звуки в русском языке вам трудно произнести?
4. Что для вас самое трудное в изучении русского языка?

6   Посмотрите на картинки на стр. 115. Расскажите сюжет комикса.

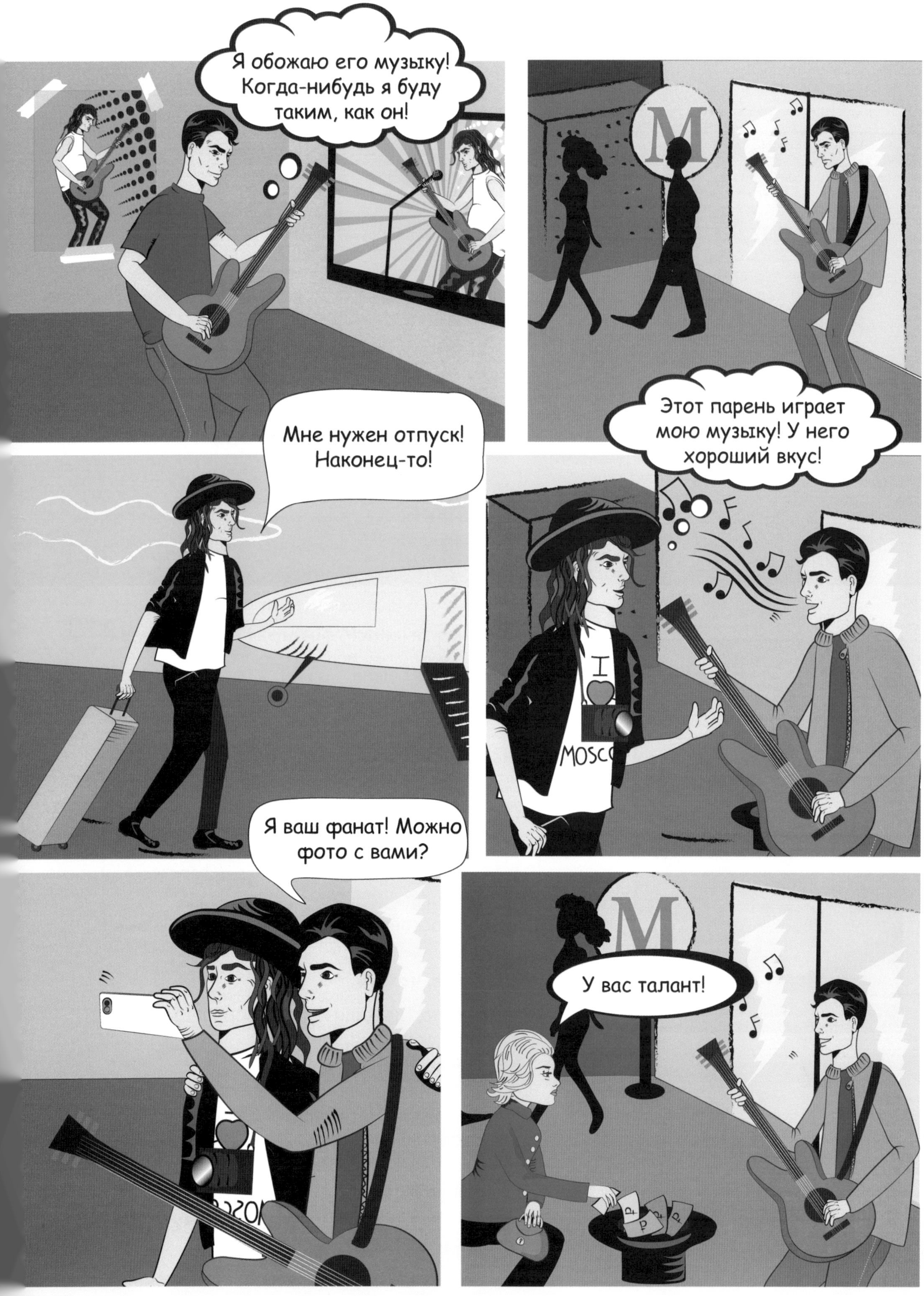

8 ГОРОДА

1 **а) Соотнесите (*match*) фотографии и эти слова.**

☐ Эйфелева башня   ☐ Тауэрский мост
☐ Статуя Свободы   ☐ Красная площадь

б) Новые слова |
Достопримечательности / Tourist attractions

1. мост
2. статуя
3. башня
4. площадь
5. небоскрёб
6. замок
7. памятник
8. дворец
9. церковь

в) Угадайте, что это.

1. Это место, где жили короли, королевы, принцы и принцессы (2 варианта).
2. Это очень высокое здание.
3. Это синоним слова «монумент».
4. Этот монумент – символ Нью-Йорка.
5. Это дорога через реку.
6. Это большое открытое пространство. Часто вокруг него есть исторические здания.
7. Это здание для религиозных церемоний в христианской религии.

ДОСТОПРИМЕЧАТЕЛЬНОСТИ

2   **Произношение |**
Согласные мягкие, если после них
ь, Я, И, Е, Ё, Ю

звуки	слоги	слова
[б] – [б']	бы – би	<u>бы</u>ть – <u>би</u>ть
[в] – [в']	вы – ви	<u>вы</u> – <u>ви</u>деть
[г] – [г']	го – гё	<u>го</u>род – <u>Гё</u>теборг
[д] – [д']	да – дя	<u>да</u>ть – <u>дя</u>дя
[з] – [з']	зы – зи	моро<u>зы</u> – <u>зи</u>ма
[к] – [к']	ко – кё	<u>ко</u>т – <u>Кё</u>льн
[л] – [л']	ло – лё	<u>Ло</u>ндон – <u>лё</u>гкий
[м] – [м']	мы – ми	<u>мы</u> – <u>Ми</u>ша
[н] – [н']	на – ня	<u>на</u>с – <u>ня</u>ня
[п] – [п']	па – пя	<u>па</u>па – <u>пя</u>ть
[р] – [р']	ры – ри	<u>ры</u>ба – <u>ри</u>с
[с] – [с']	сы – си	<u>сы</u>р – <u>си</u>ний
[т] – [т']	то – тё	<u>То</u>кио – <u>тё</u>тя
[ф] – [ф']	фы – фи	шар<u>фы</u> – <u>фи</u>ниш
[х] – [х']	ха – хи	<u>ха</u>рошо – <u>хи</u>трый

3   **а) Как |**
сказать, в какому году (Предложный падеж) /
to say what year (the prepositional case)

Какой год?	В каком году (когда)?
Сейчас идёт 2018-ый год.	Это случилось <u>в 1999-ом году</u>.
(Две тысячи восемнадцатый год)	(В тысяча девятьсот девяносто девятом году)

б) Составьте предложения по модели.

1. ~~в 1999 году~~
   Это случилось в 1999-ом году.
2. в 2001 году
3. в 2015 году
4. в 21 веке.
5. в 1988 году
6. в 2000 году
7. в 1345 году
8. в 15 веке

в) Когда построили эти здания?
Составьте предложения по модели.

Пример
Московский Кремль построили
в 15-ом веке.

Московский
Кремль, 15-ый век

Замок
Нойшванштайн,
19-ый век

Великая Китайская стена,
17-ый век

Пизанская башня,
14-ый век

Мост «Золотые ворота»,
20-ый век

4 **а) Посмотрите на фотографии. Вы знаете эти места? Как они называются?**

б) Прочитайте информацию о достопримечательностях. Соотнесите фотографии и тексты.

❶ Даньян-Куньшаньский виадук – это самый длинный мост на планете. Он занесён в книгу рекордов Гиннеса. Длина этого моста – почти 165 километров. Он находится в Восточном Китае.

❷ «Небесное дерево» – это телевизионная башня в Токио. Её построили в 2012 году. Это самая высокая телебашня в мире. Её высота составляет 634 метра.

❸ Выше телебашни в Токио только небоскрёб «Бурдж-Халифа» в Дубае. Его высота составляет 828 метров (163 этажа).

в) Отвечайте на вопросы.

1. Как называется самый длинный мост в мире? Где он находится? Какая у него длина?
2. Как называется самый высокий небоскрёб в мире? Где он находится? Какая у него высота?
3. Как называется самая высокая телебашня в мире? Где она находится? Какая у неё высота? Когда её построили?

5 **а) Грамматика |**
Сравнительная и превосходная степень / Comparative and superlative degree

Сравнительная степень

более / менее + прилагательное / наречие

прилагательное / наречие + суффикс -ее

Это здание более красивое, чем то.

Это здание красивее, чем то.

Исключения!

лучше	уже	легче
хуже	дороже	громче
больше	дешевле	короче
меньше	раньше	тише
выше	позже	дальше
ниже	чаще	
шире	реже	

Пример
«Бурдж-Халифа» <u>выше</u>, чем «Небесное дерево» в Токио.

Превосходная степень

самый / самая / самое / самые + прилагательное

- Это **самый** длинный мост в мире.
- Эта улица – **самая** длинная в городе.
- Это здание – **самое** высокое в мире.
- Это **самые** высокие здания в городе.

б) Составьте предложения по модели.

1. Это здание более высокое, чем то.
   Это здание выше, чем то.

2. Река Нил более длинная, чем Амазонка. _____ .

3. Этот ресторан более дорогой, чем тот. _____

4. Эти брюки более дешёвые, чем те. _____ .

5. Этот небоскрёб менее высокий, чем тот. _____ .

в) Пишите прилагательные в превосходной форме.

1. Это (большой) __самый большой__ замок в мире.

2. Это (интересный) _____ книга, которую я когда-либо читал.

3. Это (узкий) _____ дом в мире.

4. Это (широкий) _____ улица в Париже.

5. Это (высокий) _____ девушка в нашем офисе.

6 а) Обсуждайте в группе. Что вы знаете о Московском Кремле?

б) Прочитайте текст о Московском Кремле и ответьте на вопросы.

1. Когда построили первый Московский Кремль?

2. Когда построили современный *(modern)* Московский Кремль?

3. Какие архитекторы строили Московский Кремль?

4. Сколько башен в Московском Кремле?

5. Кто основал Москву?

МОСКОВСКИЙ КРЕМЛЬ

Московский Кремль – это комплекс из стен и башен в форме треугольника в центре Москвы. Кремль – это самая древняя часть Москвы и официальная резиденция президента Российской Федерации.

Первый Кремль построили в 12-ом веке. Считается, что Юрий Долгорукий основал Москву в 1147 году. После этого Кремль много раз разрушали и строили снова.

В 15-ом веке князь Иван III пригласил итальянских архитекторов, чтобы сделать Кремль больше, красивее и надёжнее. Новый Кремль строили из кирпича.

Современный Кремль включает в себя 20 башен, 4 из которых являются воротами для входа и выхода.

В 18-ом веке Пётр I основал Петербург и сделал его столицей, поэтому Кремль потерял статус официальной царской резиденции.

В 1918 году после революции большевики снова сделали Москву столицей, и Кремль снова стал политическим центром страны.

По материалам сайта https://ru.wikipedia.org

в) Обсуждайте в группе.

Расскажите о достопримечательностях в вашем родном городе.

119

8.2 ОРИЕНТАЦИЯ В ГОРОДЕ

1 а) Обсуждайте в группе.

- Вы когда-нибудь ездили на метро?
- Вам нравится этот транспорт?
- Какие плюсы и минусы у этого транспорта?

б) Как |
образовать название станции /
to form a name for a station

фамилия человека /
название города,
страны + -ск- + -ая

Пример
Пушкин + ск + ая = станция «Пушкинская»

в) Образуйте названия станций по модели.

1. Пушкин – станция «Пушкинская»
2. Чехов
3. Третьяков
4. Киев
5. Менделеев

2 а) Прочитайте диалог и найдите на карте, где находятся люди.

А: Здравствуйте! Помогите мне, пожалуйста. Мне нужно на станцию «Павелецкая». Как попасть (to get) туда?
Б: На «Павелецкую»? Так, смотрите... сейчас мы на «Арбатской». Вам нужно ехать до станции «Площадь Революции». Там сделайте пересадку на зелёную линию, на станцию «Театральная». Через одну остановку будет «Павелецкая».
А: Спасибо большое! До свидания!

б) Прочитайте диалог ещё раз и ответьте на вопросы.

1. Сколько станций должен ехать турист по зелёной линии?
2. На какую станцию метро турист должен попасть?
3. На какой станции местный житель предлагает сделать пересадку?

в) Составьте предложения по модели. Смотрите на номера станций. Там находятся эти люди.

1. ~~Алексей~~
Алексей сейчас на «Тверской».
Алексей едет на «Тверскую».
2. Марта
3. Инна
4. Тамара
5. Александр

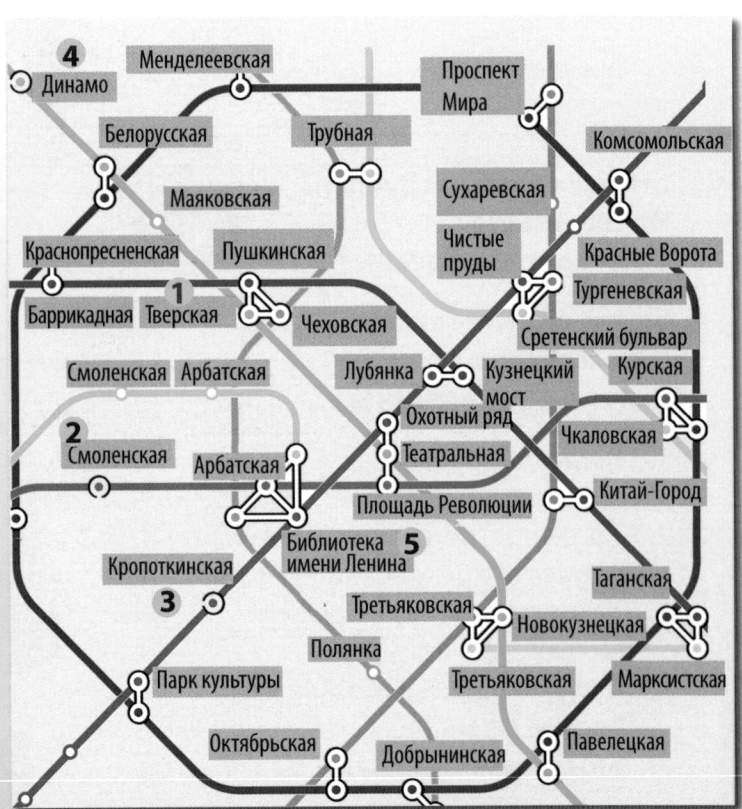

г) Ролевая игра

Студент А и Студент Б сейчас на станции «Парк культуры». Студент А выбирает любую станцию и просит студента Б объяснить, как попасть туда.
Поменяйтесь ролями.

3 а) Новые слова |
Дороги / Roads

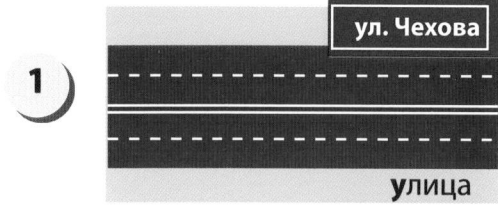

1 ул. Чехова
улица

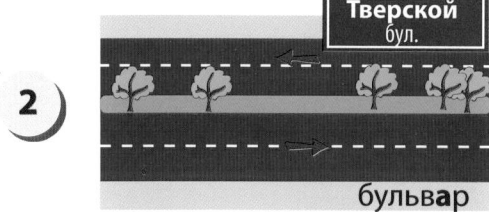

2 Тверской бул.
бульвар

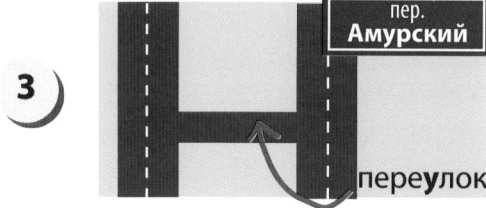

3 пер. Амурский
переулок

4 Кремлёвская наб.
р. Москва
набережная

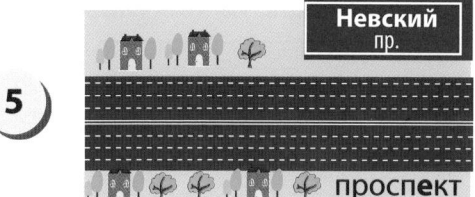

5 Невский пр.
проспект

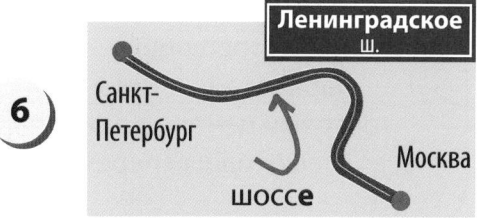

6 Ленинградское ш.
Санкт-Петербург
Москва
шоссе

б) Попробуйте образовать названия улиц по модели.

1. Пушкин
   - улица Пушкина / Пушкинская улица
   - Пушкинский переулок
   - Пушкинский проспект
   - Пушкинский бульвар
   - Пушкинская набережная
   - Пушкинское шоссе
2. Ленин
3. Киев
4. Варшава

в) Отвечайте на вопросы по модели. Ответ в скобках.

1. Где вы сейчас находитесь? (Моховая улица)
   Я сейчас на Мохов<u>ой</u> улиц<u>е</u>.
2. Где вы сейчас находитесь? (Ленинский проспект)
3. Куда вы едете? (Моховая улица)
4. Куда вы едете? (Ленинский проспект)
5. Где вы сейчас? (Кремлёвская набережная)
6. Где этот магазин? (Тверской бульвар)
7. Куда вы идёте? (Невский проспект)
8. Где этот театр? (Театральная площадь)

4 а) Грамматика |
Направление и местоположение / Direction and location

Местоположение (где?)
ЦИРК
слева
Дом находится слева.
справа
Цирк находится справа.

Направление (куда?)
налево
направо

121

б) Выберите правильный вариант.

1. Мы находимся *справа / направо* от известного музея.
2. Вам нужно идти *слева / налево*.
3. Мой дом на улице Арбат, *справа / направо* от кафе.
4. Вы видите *справа / направо* этот высокий дом?
5. Поверните *слева / налево*.
6. Вон там *справа / направо* театр.
7. Где автобусная остановка?
   – Поверните *справа / направо*.
8. *Слева / налево* от нас находится памятник.

5 а) Новые слова |
В городе / At the city

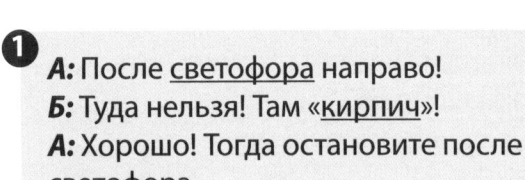
8.2–5

б) Послушайте 3 диалога и соотнесите диалоги (1–3) и рисунки (А–В).

А

Б

В

в) Прочитайте эти диалоги. Угадайте из контекста значение подчёркнутых слов.

❶ А: После <u>светофора</u> направо!
Б: Туда нельзя! Там «<u>кирпич</u>»!
А: Хорошо! Тогда остановите после светофора.
Б: Хорошо!

❷ А: Извините, а я на этой <u>маршрутке</u> доеду до Мегамолла?
Б: А что это?
А: Это большой <u>торговый центр</u>.
Б: Да-да! Доедете. Она как раз туда идёт.
А: А сколько остановок надо ехать?
Б: Это будет конечная <u>остановка</u>.

❸ А: Здравствуйте! Можно ваши документы?
Б: А что случилось? Я что-то сделала не так?
А: Вы оставили машину <u>на пешеходном переходе</u>. Вы считаете, это нормально?
Б: Извините, но нигде не было свободных мест. У меня не было выбора.
А: На пешеходном переходе <u>парковка</u> запрещена.

г) Прочитайте эти диалоги по ролям.

6 Игра

Загадайте одно из этих слов, но не называйте его. Опишите его на русском языке. Другие студенты должны угадать. Кто угадает первым, тот загадывает другое слово.

маршр**у**тка   светоф**о**р
перес**а**дка   остан**о**вка   ст**а**нция
парк**о**вка   «кирп**и**ч»
торг**о**вый центр   бульв**а**р
пешех**о**дный перех**о**д

7 **a) Послушайте диалог и нарисуйте на карте маршрут, который местный житель рекомендует туристу.**

8.2–7

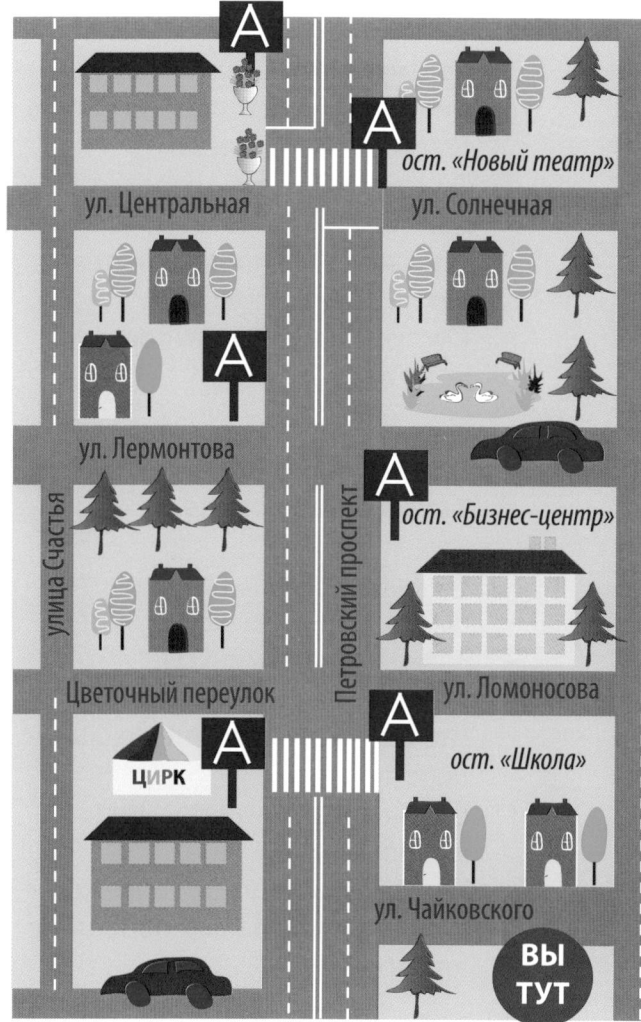

б) Послушайте диалог ещё раз и ответьте на вопросы.

1. Турист должен ехать к театру на транспорте или идти пешком?
2. Что такое маршрутка?
3. Какой номер маршрутки идёт к театру?
4. На какой улице они находятся в момент разговора?

8 **a) Грамматика |**

Дательный падеж после предлогов «к», «по» / The dative case after the prepositions «к», «по»

Прочитайте текст этого диалога (8.2–7) на стр. 166. Вставляйте пропущенные слова.

1. Потом поверните направо на Петровский проспект и идите к

_____ _____ .

2. Вам нужно ехать по

_____ две остановки до остановки «Новый театр».

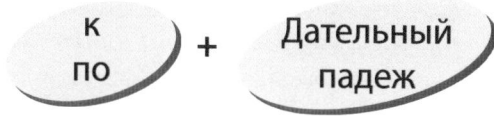

к по + Дательный падеж

Примеры
Я гуляю по пляжу.
Мы идём по Беговой улице.
Я иду к доктору.
Я иду к остановке.

б) Пишите слова в скобках в правильной форме. Если вы забыли окончания дательного падежа, смотрите стр. 147.

1. Я иду по (Невский проспект)

_____ _____ .

2. Я гуляю по (Москва) _____ .

3. Я иду к (новый памятник)

_____ _____ .

4. Сегодня я иду к (наш директор)

_____ _____
поговорить об этом.

5. Вам нужно идти к (автобусная остановка) _____

_____ .

6. Я люблю ходить по (магазины)

_____ .

7. Мы едем по (Ленинградское шоссе)

_____ _____ .

8. Он любит гулять по (Тверской бульвар) _____ _____ .

9 **Ролевая игра**
Студент А
Читайте роль на стр. 157 в 8.2.

Студент Б
Вы турист и сегодня второй день в этом городе. Вчера вы были в цирке. Сегодня вы хотите пойти в музей, но вы не знаете, как туда идти. Спросите местного жителя. Найдите на карте слева маршрут.

123

(8.3) В АЭРОПОРТУ

1 а) Обсуждайте в группе эти фотографии. Что у них общее (in common)?

б) Новое слово |
Глаголы «лететь/полететь», «летать» /
Verb "to fly"

Напишите глаголы в таблице.

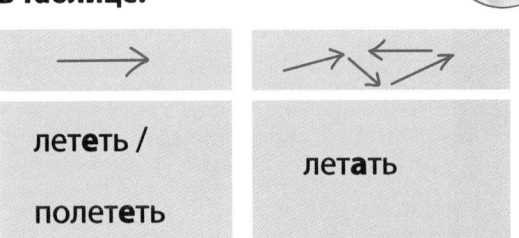

лет**е**ть / полет**е**ть		лет**а**ть	
я	лечу	я	летаю
ты	летишь	ты	летаешь
он/оно	_____	он/оно	_____
она	_____	она	_____
мы	_____	мы	_____
вы	_____	вы	_____
они	летят	они	_____

в) Выберите правильный вариант.

1. Сейчас мы (<u>летим</u> / полетим / летаем) на самолёте.
2. Я часто (лечу / полечу / летаю) на самолёте.
3. Он никогда не (летит / полетит / летает) на самолёте.

4. Завтра я (лечу / полечу / летаю) в отпуск.
5. Каждый год я (лечу / летаю / полечу) в отпуск на Мальдивы.
6. Пингвины – это птицы, но они не (летят / полетят / летают).
7. Ты хочешь (лететь / полететь / летать) со мной в Лос-Анджелес?
8. Этим летом я (летел / полетел / летал) в отпуск в Индию.
9. Смотри, птицы (летят, полетят / летают) на юг.

г) Обсуждайте в группе.

- Вы любите летать на самолёте?
- Вы часто летаете на самолёте?
- Какие плюсы и минусы в путешествии на самолёте?
- Что вы обычно делаете во время полёта?
- Где вы предпочитаете сидеть в самолёте?
- Чем вы занимаетесь, когда ждёте в зале вылета? Как вы проводите это время?

2 а) Новые слова |
В аэропорту / At the airport

вылет**а**ть / **вы**лететь

сад**и**ться / сесть

вылет

прил**ё**т

дь**ю**ти-фри

пос**а**дка на рейс

124

б) Что происходит (is happening) **в аэропорту? Разместите все действия в правильном порядке.**

- ☐ Пассажиры ждут в зале вылета.
- ☐ Пассажиры делают покупки в дьюти-фри.
- ☐ Пассажиры проходят регистрацию.
- ☐ Происходит посадка на рейс.
- ☐ Пассажиры проходят паспортный контроль.
- ☐ Самолёт вылетает.
- ☐ Самолёт садится.

в) Послушайте правильные ответы (№ 2б) и проверьте себя.

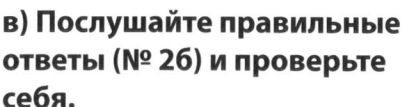 8.3-2

г) Работайте в парах. Студент А называет одно действие в аэропорту, а студент Б – следующее.

Модель

Студент А: Сначала надо пройти регистрацию.
Студент Б: Потом нужно пройти паспортный контроль.

3 **а) Послушайте диалоги. Соотнесите рисунки (а–г) и диалоги (1–4).**

 8.3-3

б) Послушайте диалоги ещё раз. Вставьте пропущенные слова.

Диалог 1
А: Какой у нас номер рейса?
Б: А3452840.
А: Наши стойки _____ с 28 по 35.
Б: О боже! Посмотри, какая длинная очередь!

Диалог 2
А: Извините, а где _____
_____ ?
Б: Идите прямо. Там будет эскалатор. Вам нужно подняться на второй этаж. Там будет паспортный контроль.

Диалог 3
А: Внимание! На рейс F2828 Москва – Стамбул началась _____ . Выход номер 29.
Б: Пойдём быстрее! Уже началась посадка!

Диалог 4
А: Я не знаю, куда ехать! Направо или налево?
Б: Направо, конечно! Нам нужен
_____ .

в) Проверьте себя на стр. 166, 8.3–3.

4 **а)** В семье Дональда маленький конфликт. Послушайте диалог и скажите, в чём проблема.

б) Послушайте диалог ещё раз и впишите приставки (prefixes).

А: Дональд, давай быстрее! Нам нужно _____ехать в аэропорт за 2 часа до вылета.

Б: Что там делать два часа? Давай _____едем из дома в 5 часов. Мы _____едем в аэропорт в 6 часов. У нас будет целый час, чтобы ____йти регистрацию, паспортный контроль и сесть на самолёт.

А: Это очень большой риск! Мы не можем так рисковать! Мы можем опоздать. Будет лучше, если у нас будет время, чтобы мы могли ____йти все магазины.

Б: Ты знаешь, как я их ненавижу!

в) Прочитайте диалог 8.3–4 на стр. 166 и проверьте себя.

г) Выпишите из диалога все глаголы в форме инфинитива. Как вы думаете, что значат приставки?

_____

_____

_____

_____

5 **а) Грамматика |**
Глаголы движения с приставками /
Verbs of motion with prefixes

по-		Он **пошёл** в школу в 6 лет.
при-		Он **пришёл на** вечеринку в 6 часов.
у-		Он **ушёл с** вечеринки в 9 часов.
в(о)-		Он **вошёл в** комнату (внутрь).
вы-		Он **вышел из** комнаты (наружу).
под(о)-		Он **подошёл к** человеку.
от(о)-		Он **отошёл от** человека.
про-		1. Он **прошёл** мимо меня.
		2. Он **прошёл через** арку.
		3. Он **прошёл** 5 км.
пере-		Он **перешёл** улицу.
до-		Наконец он **дошёл до** Кремля.
об(о)-		Он **обошёл** этот дом.
за-		По дороге домой он **зашёл** в магазин.

б) Вставляйте правильные приставки.

1. Вчера ночью Виктор **при**летел из отпуска. Но уже на следующий день утром ему надо было быть на работе.
2. Когда он _____шел утром из дома, он увидел соседа.
3. Он _____шёл на работу в 9 часов.
4. Он _____шёл с концерта в 21:00.
5. Когда он шёл домой, он _____шёл в магазин купить немного еды.
6. К нему _____шёл турист и спросил, как _____йти до музея.
7. Но Виктор не слышал его, потому что слушал плеер. И поэтому он _____шёл мимо туриста.
8. Когда Виктор_____шёл в комнату, он увидел, что телевизор весь день работал.

Важно знать!

группа 1	группа 2
→	↗ ↖ ↑
• идт**и**	• ход**и**ть
• **е**хать	• **е**здить / _езж**а**ть
• лет**е**ть	• лет**а**ть

Приставка + группа 1 = СВ
Приставка + группа 2 = НСВ

Примеры

Я часто за<u>хожу</u> в это кафе.
Вчера я за<u>шёл</u> в это кафе.

в) Напишите глаголы «ходить / идти» с приставками (НСВ – СВ).

1. __входить / войти__ в дом.
2. _____ из офиса.
3. _____ на работу.
4. _____ с вечеринки
5. _____ к полицейскому.
6. _____ от человека.
7. _____ через мост.
8. _____ мимо магазина.
9. _____ до станции.
10. _____ вокруг дома.
11. По дороге _____ в магазин.

г) Вставляйте глагол -езжать с правильной приставкой.

1. Утром Георгий _____ из дома.
2. Он _____ на работу в 9 часов.
3. Когда он _____ к офису, он думает, где оставить машину.
4. Чтобы найти парковочное место, он _____ вокруг офиса. С парковкой около офиса большие проблемы.
5. Вечером по дороге домой он _____ в супермаркет.
6. Каждый день он _____ 30 километров.
7. Потом он _____ в гараж и идёт домой.

д) Соотнесите предложения (1–7) и рисунки (а–ж).

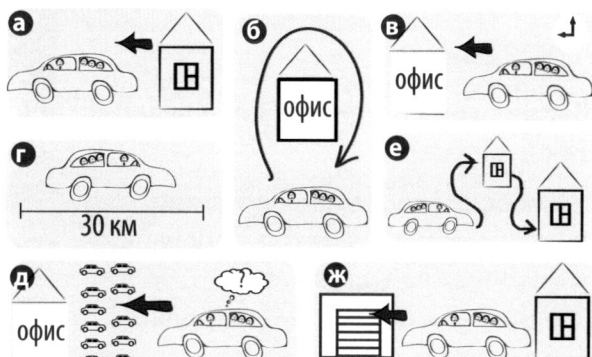

е) Расскажите историю Георгия, как будто (like) это было вчера.

Пример

Вчера Георгий выехал из дома.

6 Обсуждайте в группе.

а) Прочитайте, какие проблемы могут быть в аэропорту. Обсудите, какая проблема самая серьёзная.

Проблемные ситуации

1. В самолёте рядом с вами сидит молодая мама, у которой маленький ребёнок всё время плачет.

2. Ваш багаж слишком тяжёлый. Вам надо доплатить 150 долларов.

3. Вы хотите забрать ваш багаж, но он не выехал на ленту (carousel) в зоне выдачи багажа.

4. Рядом с вами в самолёте сидит человек, который всё время говорит с вами.

5. Кто-то другой хочет забрать ваш багаж.

б) Что вы скажете в этих ситуациях?

в) С вами когда-нибудь случались неприятные ситуации в аэропорту? Расскажите о них.

1 Какое слово лишнее? Почему вы так думаете?

1. мост, статуя, ~~вылет~~, памятник
2. пешеходный переход, переулок, набережная, дьюти-фри
3. торговый центр, вылет, прилёт, посадка на рейс
4. проспект, дворец, замок, башня небоскрёб

2 Пишите слова в скобках в правильной форме.

1. Я иду по (красивая улица)
   <u>красивой улице</u>

2. Я подхожу к (автобусная остановка)
   _____

3. Я должен пойти к (хороший врач)
   _____

4. Мы любим гулять по (этот пляж)
   _____

5. Мы едем на машине по (Цветной бульвар)
   _____

6. Она идёт в гости к (мой друг)
   _____

7. Я люблю ехать по (этот широкий проспект)
   _____

8. Когда подойдёшь к (здание),
   _____

   поверни направо.

3 Пишите слова в скобках в правильной форме.

1. Это самое высокое здание в городе. Его построили (1933 год) <u>в 1933-м году</u>.
2. Сейчас идёт (2017 год) _____.
3. Она родилась (1988 год) _____.
4. Мы встретились (2015 год) _____.
5. Это был (2000 год) _____.
6. Он родился (1958 год) _____.

4 Напишите нужные приставки.

при-	у-	в(о)-	вы-
за-	до-	об(о)-	пере-
~~под(о)-~~	от(о)-	про-	

1. <u>По</u>дойди ко мне. Я хочу тебе что-то сказать.
2. Он _____шёл мимо меня и даже не поздоровался.
3. Когда я рассказал ей об этой идее, она посмотрела на меня, как будто я ненормальный, и _____шла от меня. Больше я не видел её.
4. Ко мне часто _____ходят гости. Я очень люблю эти моменты. Мы вместе пьём чай и разговариваем.
5. Вчера я плохо себя чувствовал, поэтому _____ехал из офиса раньше.
6. Нет! Я не буду тут _____ходить улицу. Давай пойдём на пешеходный переход!
7. Давай _____йдём сначала в кафе. Я хочу купить кофе. А потом пойдём в парк.
8. Нам нужно _____йти до Кремля.
9. Мне жарко! Можно _____йти на улицу?
10. Если вы хотите _____ехать в этот город на машине, вы должны заплатить деньги.
11. Нам нужно _____ехать это здание. За ним будет парковка.

5 Подчеркните правильный вариант.

1. Нам нужно повернуть *справа / направо.*
2. Твой телефон *слева / налево* от вазы.
3. Вам нужно подняться наверх на эскалаторе. Потом *справа / направо* вы увидите паспортный контроль.

6 Работа с видео (видео 8)

Ссылка на видео:
https://www.youtube.com/c/IrinaMozelova

а) Обсуждайте в группе.

- Какие достопримечательности Москвы вы знаете?

б) Вы знаете, что такое нулевой километр? Прочитайте текст. Где в Москве находится нулевой километр?

> Нулевой километр есть во многих странах. Это точка, откуда измеряют дорожные расстояния. В Москве нулевой километр находится в центре города, слева от Исторического музея, если смотреть на Кремль.

в) Новые слова

Угадайте значение слов из контекста.

храм	Храм – это здание для религиозных церемоний.
собор	Собор – это главный храм города в христианской религии.
желание сбудется	Люди верят, что их желание сбудется, если они бросят монету в фонтан.
собирать	В России люди любят собирать в лесу грибы.
столовая	Столовая – это дешёвое кафе, где нет официантов. Люди стоят в очереди и выбирают еду, а потом платят за неё в кассе.

каток	Каток – это место, где люди катаются на коньках.
СССР	СССР – это аббревиатура от Союз Советских Социалистических Республик. Так называлось государство, в состав которого входила Россия в период с 1922-ого по 1991-ый год.
государ-ственный	Самый известный университет в Москве – это Московский государственный университет (МГУ).
бесплатно	Дети до 7 лет ездят в метро бесплатно.
посещать / посетить	Посетить – это значит «прийти с визитом». Например, можно посетить музей или театр.

Составьте с каждым словом предложение.

Пример
Я видел красивые храмы в Таиланде.

г) Новые слова | Фигуры и формы

круг   квадрат   треугольник

Соотнесите (*match*) рисунки (A–B) и их описания (1–3).

1. Это круглый стол.
2. Это квадратный стол.
3. Это треугольный стол.

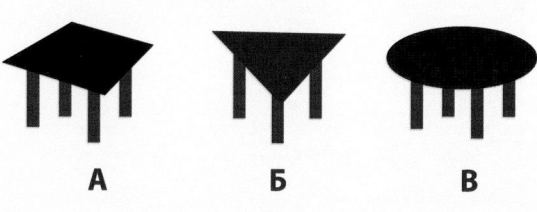

A   Б   B

**д) Упражнение «снежный ком».
Прочитайте строчку. Последнюю
фразу скажите ещё раз.**

- Им**е**ть в основ**а**нии круг — только
три башни имеют в основании
круг — А вы знаете, что
в Моск**о**вском Кремл**е** только три
башни имеют в основании круг?
- Иметь в основании квадрат —
башни имеют в основании
квадрат — А все остальные башни
имеют в основании квадрат.
- **У**гол — угл**ы** — находиться на
угл**а**х Кремл**я** — Эти три башни
находятся на угл**а**х Кремля.
- Стол**о**вая в Г**У**Ме — пойт**и**
в стол**о**вую в Г**У**Ме — Если вы
хотите верн**у**ться в СССР, вы
должны пойти в стол**о**вую в ГУМе.

е) Грамматика | Дательный падеж

> памятник Александр**у** Пушкин**у**
> памятник Анн**е** Ахмато**вой**

Кому эти памятники?

1. Пётр Первый
   Это памятник Петру Первому.
2. Карл Маркс
3. Юрий Долгорукий
4. Майя Плисецкая
5. Владимир Маяковский

**ж) Смотрите видеосюжет. Отметьте
по порядку достопримечательности,
которые вы увидели.**

- [ ] храм Вас**и**лия Блаж**е**нного
- [ ] памятник К**а**рлу М**а**рксу
- [ ] Больш**о**й те**а**тр
- [1] памятник П**у**шкину
- [ ] Истор**и**ческий муз**е**й
- [ ] нулев**о**й килом**е**тр
- [ ] памятник **Ю**рию Долгор**у**кому

- [ ] Мавзол**е**й
- [ ] Кремль
- [ ] ГУМ

**з) Смотрите видеосюжет ещё раз.
Рисуйте на карте маршрут экскурсии.
Напишите в белых кругах номера
достопримечательностей из упр. № 6ж.**

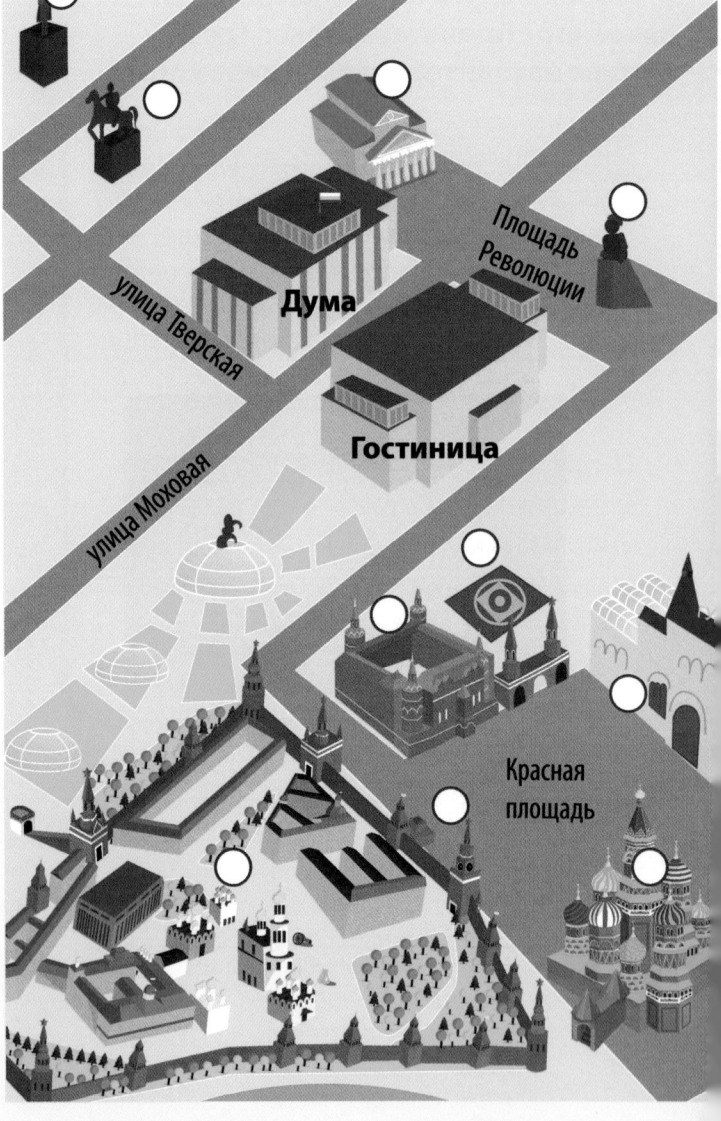

**и) Расскажите по карте, куда вы ходили
и какие достопримечательности видели.**

Пример
Мы начали нашу экскурсию около
памятника Пушкину. Потом мы пошли...

130

7 Ролевая игра

Вы живёте в Москве. Ваш друг скоро приедет сюда. Это будет его первый визит в столицу России. Он будет в Москве 2 дня. Вы хотите организовать маленькую экскурсию для него, показать город. Посмотрите на карту и составьте план вашего маршрута. Расскажите, что вы будете делать в эти 2 дня.

Пример

Сначала мы пойдём к Кремлю. Мы увидим Красную площадь, храм Василия Блаженного, Александровский сад, потом мы пойдем... и т.д.

Останкинская телевизионная башня

бизнес-центр Москва-Сити
Здесь в одной из башен на 60-ом этаже находится ресторан.

улица Тверская
Тут есть много ресторанов, магазинов, кафе.

Большой театр

храм Василия Блаженного

Пляж в районе «Строгино»

улица Старый Арбат
Это туристическая улица. Тут много музыкантов, художников, магазинов с сувенирами.

Кремль

Красная площадь

Крымский мост

Третьяковская галерея

Парк Горького

Воробьёвы горы
Здесь красивый панорамный вид на Москву.

Парк «Коломенское»

Составьте вопросы к <u>подчёркнутым</u> словам. Какие это падежи? Почему?
Используйте материалы таблиц (стр. 142–150).

1. Это дом <u>моего папы</u>.	Чей это дом? (Это дом кого?) (Это родительный падеж. / Принадлежность)
2. Он видел <u>твою маму</u>.	
3. У него нет <u>мобильного телефона</u>.	
4. Она рассказала это <u>моему другу</u>.	
5. Режиссёр думал о <u>новом фильме</u>.	
6. Сейчас 5 <u>часов</u>.	
7. Это подарки для <u>его сестёр</u>.	
8. Он желает мне <u>отличного отпуска</u>!	
9. Они поздравляют нас с <u>Новым годом</u>!	
10. Он работает <u>врачом</u>.	
11. Вы занимаетесь <u>лыжами</u>.	
12. Это случилось в <u>1905-ом году</u>.	
13. У него день рождения <u>19-ого</u> марта.	
14. Вы были на вечеринке без <u>нашей подруги</u>.	
15. Пешеходный переход около <u>нового магазина</u>.	
16. Он идёт к <u>нашему директору</u>.	
17. Лампа над <u>круглым столом</u>.	
18. Она из <u>Москвы</u>.	
19. Ему нравится <u>этот город</u>.	
20. Как зовут <u>твою сестру</u>?	
21. Она едет в <u>Париж</u>.	
22. Ты идёшь по <u>Театральной улице</u>.	
23. Она хочет пойти <u>с тобой</u>.	
24. Вы едете на <u>Ленинский проспект</u>.	
25. Он сейчас на <u>Тверском бульваре</u>.	

ПРЕДЛОЖНЫЙ И ВИНИТЕЛЬНЫЙ ПАДЕЖИ
РАЗЛИЧИЯ

ГДЕ ?	КУДА?
Местоположение (Предложный падеж)	**Направление** (Винительный падеж)
Георгий в ресторане.	Георгий идёт в ресторан.

Существительные / Nouns		-е -и		**Существительные / Nouns**	X	-у -ю X	X
Прилагательные / Adjectives	-ом -ем	-ой -ей	-ом -ем	**Прилагательные / Adjectives**	X	-ую -юю	X

Георгий на Невском проспекте. Георгий на Тверской улице.	Георгий идёт на Невский проспект. Георгий идёт на Тверскую улицу.

Составьте предложения по модели.

1. Пятницкая улица
   Я сейчас на Пятницкой улице.
   Я иду на Пятницкую улицу.
2. Киевское шоссе
3. Ленинский проспект
4. Цветной бульвар
5. Ленинградское шоссе
6. Кремлёвская набережная
7. Большая Бронная улица
8. Моховая улица
9. Невский проспект
10. Центральная улица

ФИНАЛЬНЫЙ ТЕСТ

Имя студента

_____

_____

ЧАСТЬ 1. ЛЕКСИКА

1–10. Какое слово лишнее?

1	а) Рождество б) свадьба в) счастье г) Масленица д) годовщина	**6**	а) племянник б) боевик в) внучка г) дядя д) дедушка
2	а) преподаватель б) парикмахер в) официант г) полицейский д) образование	**7**	а) документальное кино б) комедия в) выставка г) мелодрама д) боевик
3	а) опыт б) океан в) пустыня г) водопад д) гора	**8**	а) вылет б) проспект в) шоссе г) бульвар д) набережная
4	а) чайник б) кровать в) кофемашина г) тостер д) пылесос	**9**	а) замок б) статуя в) швабра г) дворец д) памятник
5	а) кухня б) спальня в) туалет г) гостиная д) гостиница	**10**	а) паспортный контроль б) регистрация в) дьюти-фри г) пешеходный переход д) посадка на борт

11–20. Выберите правильный ответ.

11 Мост – это…

а) большая широкая улица в городе

б) дорога через реку

в) высокое здание

12 Персик – это…

а) косметика

б) вид одежды

в) фрукт

13 Галстук – это…

а) зимняя одежда для улицы

б) мужской аксессуар

в) мебель в доме

14 Советовать – это…

а) рекомендовать

б) продавать

в) показывать

15 Холодильник – это…

а) город на севере России

б) достопримечательность

в) место, где можно хранить еду, потому что там холодная температура

16 Двухместный номер – это…

а) комната в гостинице на две персоны

б) это название жанра кино

в) это вид спорта

17 Повар – это…

а) достопримечательность

б) русское блюдо

в) человек, который готовит еду в ресторане

18 Кроссовки – это…

а) обувь для спорта

б) пешеходный переход

в) овощ

19 Племянница – это…

а) дочка сына или дочки

б) дочка брата или сестры

в) мама мамы

20 Посудомоечная машина – это…

а) машина, которая стирает одежду

б) машина, которая убирает дом

в) машина, которая моет посуду

21–25. Вставляйте пропущенные слова.

21 **Я не мог** _____ **тебе, потому что у меня не было телефона.**

а) пообещать

б) подарить

в) позвонить

22 **Она вчера** _____ **нам фотографии из отпуска.**

а) объясняла

б) показывала

в) советовала

23 **Мы** _____ **окно, потому что в комнате было холодно.**

а) закрыли

б) открыли

в) продали

24 **Мы** _____ **3 года назад.**

а) родились

б) познакомились

в) случились

25 **Какая футболка лучше? Помоги мне! Я не могу** _____ .

а) продать

б) забронировать

в) выбрать

ЧАСТЬ 2. ГРАММАТИКА

26 – 70. Выберите правильный ответ.

26 Это сумка … .

а) моя мама

б) мою маму

в) моей мамы

27 Я знаю … .

а) твой папа

б) твоего папу

в) твоего папы

28 У меня нет … .

а) твой номер телефона

б) твоему номеру телефона

в) твоего номера телефона

29 Я сказала это … .

а) нашим коллегам

б) наши коллеги

в) наших коллег

30 Я думаю об … .

а) эти проблемы

б) этими проблемами

в) этих проблемах

31 Я хочу купить 3 … .

а) ананасы

б) ананаса

в) ананасов

32 Я хочу купить 5 … .

а) персики

б) персика

в) персиков

33 Это крем для … .

а) рука

б) руки

в) рук

34 Я желаю вам … !

а) хороший день

б) хорошие дни

в) хорошего дня

35 Поздравляю с … !

а) день рождения

б) днём рождения

в) дня рождения

36	Я работаю	42	Банк находится около ... .
	а) адвокат		а) небоскрёба
	б) адвоката		б) небоскрёбом
	в) адвокатом		в) небоскрёбе

37	Я занимаюсь	43	Я иду к ... .
	а) спорт		а) автобусной остановке
	б) спортом		б) автобусную остановку
	в) спорта		в) автобусная остановка

38	Это здание построили	44	Я из ... .
	а) 1900-ый год		а) большой город
	б) в 1900-ый год		б) большом городе
	в) в 1900-ом году		в) большого города

39	Сегодня	45	Эта картина ... Мона Лиза.
	а) 25-ое мая		а) называется
	б) 25-го мая		б) зовут
	в) Май, 25		в) есть

40	Это случилось	46	Собака спит под ... .
	10-ое июня		а) белый диван
	б) 10-го июня		б) белого дивана
	в) в 10-го июня		в) белым диваном

41	Я не могу жить без	47	Я сказал ... .
	а) минеральная вода		а) ты
	б) минеральную воду		б) тебя
	в) минеральной воды		в) тебе

48	Вы ... футболом? а) занимаетесь б) занимаюсь в) заниматься	**54**	Каждый день я ... на работу. а) иду б) еду в) хожу
49	Мы ... 10 лет назад. а) пожениться б) поженимся в) поженились	**55**	Я люблю ... в отпуск в Италию. а) ходить б) ездить в) ехать
50	Я уже ... письмо. а) писать б) писал в) написал	**56**	Вчера я ... на выставку. а) ходил б) шёл в) был
51	Каждый день я ... об этом. а) подумал б) думал в) подумаю	**57**	Вчера я был на ... . а) выставке б) выставку в) выставка
52	Тут холодно! Я ... окно? а) открою б) закрою в) выберу	**58**	Мы ... в Москву завтра вечером. а) объезжаем б) приезжаем в) доезжаем
53	Это здание ... , чем это. а) высочайшее б) выше в) самое высокое	**59**	Давай ... улицу на пешеходном переходе. а) идём б) обойдём в) перейдём

60 **Я часто ... на самолёте.** а) лечу б) летаю в) полечу	**66** **Как ... этот фильм?** а) зовут б) называется в) звали
61 **Я сейчас на ... .** а) Пушкинской улице б) Пушкинскую улицу в) Пушкинская улица	**67** **Как зовут ... ?** а) твой папа б) твоего папы в) твоего папу
62 **Я иду на ... .** а) Невский проспект б) Невском проспекте в) Невскому проспекту	**68** **Мне нравится ... .** а) твоя машина б) твоей машины в) твою машину
63 **Мы едем на ... .** а) станции «Тверская» б) станцию «Тверская» в) станция «Тверская»	**69** **... нравится эта компания.** а) Александр б) Александра в) Александру
64 **Музей находится ... .** а) слева б) налево в) рядом с	**70** **Извини, ... информирую тебя об этом слишком поздно.** а) за б) для в) что г) потому что д) поэтому
65 **Я иду на вечеринку. Пойдёшь со ... ?** а) мной б) меня в) мне	**Количество правильных ответов** _____

ЧАСТЬ 3. ПИСЬМО (РАССКАЗ О СЕБЕ)	
Отвечайте на вопросы анкеты полностью. *Пример* Меня зовут Мозелова Ирина.	
1. Как вас зовут? (фамилия, имя)	
2. Откуда вы? (страна, город)	
3. Почему ваш родной город вам нравится? (Какие там есть достопримечательности?)	
4. Расскажите о ваших родителях (как их зовут, откуда они, чем занимаются).	
5. У вас есть муж/жена, дети? Расскажите о них (как их зовут, чем они занимаются).	
6. Где вы сейчас живёте?	
7. Расскажите о работе. (Кем вы работаете? Что вы делаете на работе?)	
8. Чем вы занимаетесь в свободное время? (Какое у вас хобби?)	

ГРАММАТИКА

ИМЕНИТЕЛЬНЫЙ ПАДЕЖ
THE NOMINATIVE CASE
КТО? ЧТО?

Функция	Пример
1. Субъект / Subject	• <u>Я</u> работаю тут. • <u>Кошка</u> спит на диване. • <u>Сумка</u> на столе.
2. При ответе на вопрос «Кто это?», «Что это?».	• Это мой <u>друг</u>. • Это <u>я</u>.
3. Объект симпатии (с глаголом «нравиться»).	• Мне нравится <u>эта картина</u>. • Мне нравится <u>он</u>.
4. Объект в конструкции типа «у Алексея есть <u>дом</u>».	• У Алексея есть <u>дом</u>. • У Марии есть <u>работа</u>.

Личные местоимения | Personal Pronouns

я	ты	он	она	оно	мы	вы	они

Окончания. Существительные (1), прилагательные и порядковые числительные (2) |
Endings. Nouns (1), adjectives and ordinal numbers (2)

папа, дядя, мужчина (всё на -а, -я)

	Единственное число | Singular			Множественное число | Plural		
1	согласная -й, -ь	-а -я, -ь	-о -е	согласная **+** -ы -к, -г, -ш, -щ, -ж, -ч, -х **+** -и -й, -ь **→** -и	-а **→** -ы к, г, ш, щ, ж, ч, х **+** -и -я, -ь **→** -и	-о **→** -а -е **→** -я
2	-ый (-ой) -ий	-ая -яя	-ое -ее	-ые -ие		

Притяжательные местоимения | Possessive Pronouns

мой, моя, моё, мои твой, твоя, твоё, твои наш, наша, наше, наши ваш, ваша, ваше, ваши	<u>его</u> дом, машина, дети <u>её</u> дом, машина, дети <u>их</u> дом, машина, дети

РОДИТЕЛЬНЫЙ ПАДЕЖ
THE GENITIVE CASE
КОГО? ЧЕГО? (ОТКУДА? КОГДА? СКОЛЬКО? ЧЕЙ? ЧЬЯ? ЧЬЁ? ЧЬИ? ГДЕ?)

Функция	Пример
1. Принадлежность / Possession	• Это дом Бенедикт<u>а</u>. • Это телефон Тамар<u>ы</u>.
2. Конструкция «у (<u>меня</u>) есть».	• У мо<u>его</u> друг<u>а</u> есть дом. • У мо<u>ей</u> мам<u>ы</u> есть работа.
3. Характеристика / Specification	• карта город<u>а</u> • банк Москв<u>ы</u> • чашка ча<u>я</u>
4. С месяцами после числа / With months after the date	• 10-ое март<u>а</u> • 11-ого феврал<u>я</u>
5. С датами при ответе на вопрос «Когда?» / With dates answering *When*-questions.	• десят<u>ого</u> марта • одиннадцат<u>ого</u> февраля

6. С числами / With numbers:
    2, 3, 4 – единственное число
    5–20 – множественное число
	• 10 литр<u>ов</u>
	 • 3 час<u>а</u>
	 • 15 минут_

7. Отсутствие / Absence	• У меня нет брат<u>а</u> и сестр<u>ы</u>.
8. После предлогов / After prepositions БЕЗ, ДЛЯ, ИЗ, ОТ, ДО, ПОСЛЕ, ОКОЛО, У	• Вода <u>без</u> газ<u>а</u>. • Это <u>для</u> друг<u>а</u>. • <u>От</u> дома <u>до</u> офис<u>а</u> 10 км.
9. Пожелания / Wishes	• Я желаю тебе хорош<u>его</u> дн<u>я</u>!

Личные местоимения | Personal Pronouns

меня	тебя	(н)его	(н)её	(н)его	нас	вас	(н)их

Окончания. Существительные (1), прилагательные, порядковые числительные, притяжательные местоимения (2) | Endings. Nouns (1), adjectives, ordinal numbers, possessive pronouns (2)

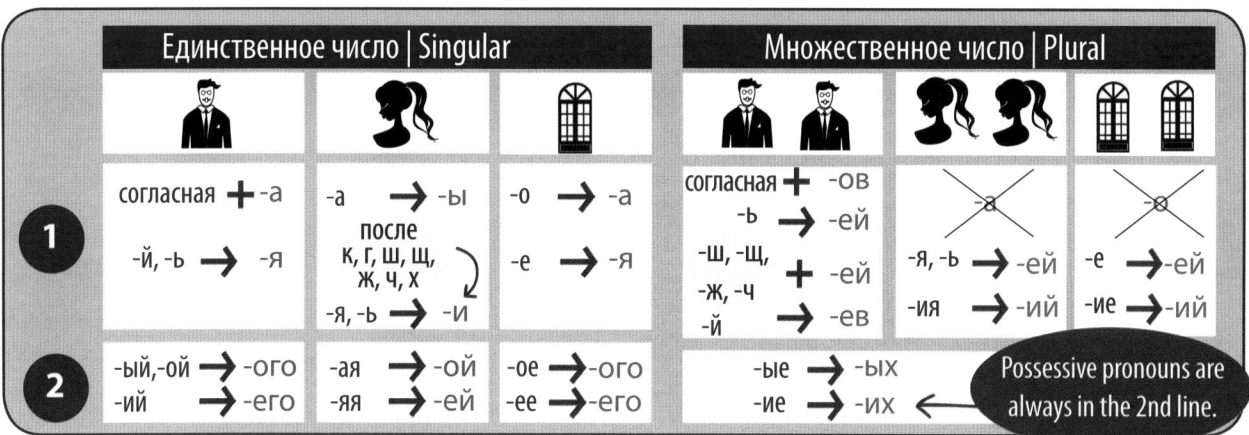

ВИНИТЕЛЬНЫЙ ПАДЕЖ
THE ACCUSATIVE CASE
КОГО? ЧТО? (КУДА? КОГДА?)

Функция	Пример
1. Прямой объект / Direct object	• Я смотрю на людей. • Я вижу Бенедикта. • Я знаю Тамару. • Я люблю пиццу.
2. Направления / Directions	• Я еду в Америку. • Я иду в парк. • Я иду на вечеринку.
3. С днями недели при ответе на вопрос «когда?» / With days of the week answering *When*-questions.	• в понедельник • в среду • в воскресенье

Личные местоимения | Personal Pronouns

> меня   тебя   (н)его   (н)её   (н)его   нас   вас   (н)их

Окончания. Существительные (1), прилагательные, порядковые числительные, притяжательные местоимения (2) | Endings. Nouns (1), adjectives, ordinal numbers, possessive pronouns (2)

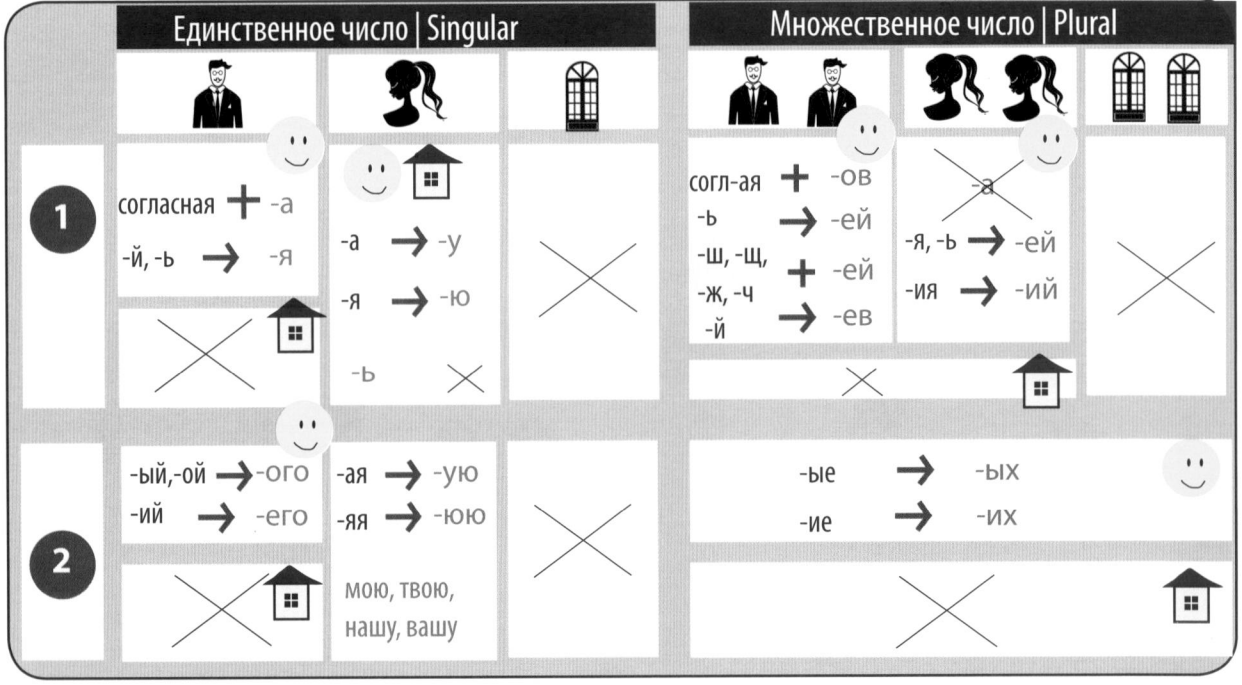

 одушевлённый / animated   неодушевлённый / inanimate

ПРЕДЛОЖНЫЙ ПАДЕЖ
THE PREPOSITIONAL CASE

О КОМ? О ЧЁМ? (ГДЕ? КОГДА?)

Функция	Пример
1. Местоположение / Location	• Я живу <u>в</u> Москв<u>е</u>. • Я сейчас <u>в</u> банк<u>е</u>.
2. Объект мысли после предлога О / Object of thought after preposition O	• Я думаю <u>о</u> фильм<u>е</u>. • Фильм <u>о</u> любв<u>и</u>.
3. С месяцами при ответе на вопрос «Когда?», если нет даты / With months answering *When*-questions if there is no date	• Мой день рождения <u>в</u> март<u>е</u>. • Мой отпуск <u>в</u> июн<u>е</u>. • <u>В</u> ма<u>е</u> я был в Москве.
4. С годами при ответе на вопрос «Когда?» / With years answering *When*-questions	• в 1999-ом году • в 2016-ом году • в 15-ом век<u>е</u>

Предложный падеж. Исключения | The prepositional case. Exceptions

- в сад<u>у</u> – in the garden
- в лес<u>у</u> – in the forest
- в аэропорт<u>у</u> – at the airport
- в шкаф<u>у</u> – in the wardrobe
- на пол<u>у</u> – on the floor
- в угл<u>у</u> – in the corner
- в год<u>у</u> – in the year
- на нос<u>у</u> – on the nose
- на мост<u>у</u> – on the bridge

Личные местоимения | Personal Pronouns

| мне | тебе | нём | ней | нём | нас | вас | них |

Окончания. Существительные (1), прилагательные, порядковые числительные, притяжательные местоимения (2) |
Endings. Nouns (1), adjectives, ordinal numbers, possessive pronouns (2)

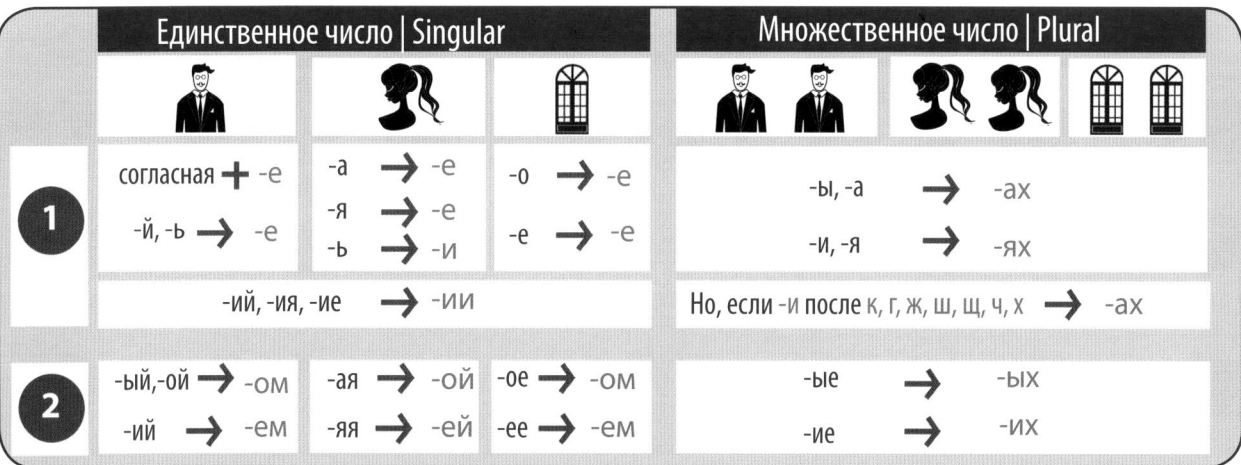

145

ТВОРИТЕЛЬНЫЙ ПАДЕЖ
THE INSTRUMENTAL CASE

КЕМ? ЧЕМ? (ГДЕ?)

Функция	Пример
1. Значение «вместе» После предлога С / After preposition С	• Я встречаюсь <u>с друг</u>ом. • Я разговариваю <u>с Анн</u>ой.
2. После предлогов / After prepositions НАД, ПОД, ЗА, ПЕРЕД, МЕЖДУ	• Картина <u>над</u> стол<u>ом</u>. • Кошка <u>под</u> кроватью. • Стол <u>между</u> стуль<u>ями</u>.
3. С глаголами / With verbs «заниматься», «увлекаться», «интересоваться»	• Я <u>занимаюсь</u> спорт<u>ом</u>. • Мы <u>увлекаемся</u> аэробик<u>ой.</u>
4. С глаголами / With verbs «быть», «работать», «стать»	• Я хочу <u>быть</u> доктор<u>ом</u>. • Я хотел <u>стать</u> пилот<u>ом</u>. • Я <u>работаю</u> стюардесс<u>ой</u>.
5. Поздравления / Congratulations	• Я поздравляю тебя с дн<u>ём</u> рождения! • С Нов<u>ым</u> год<u>ом</u>!
6. С частями суток и временами года / With parts of the day and seasons	• <u>Утром</u> я встаю рано. • Мой день рождения <u>весной</u>.

Личные местоимения | Personal Pronouns

мной	тобой	(н)им	(н)ей	(н)им	нами	вами	(н)ими

Окончания. Существительные (1), прилагательные, порядковые числительные, притяжательные местоимения (2) |
Endings. Nouns (1), adjectives, ordinal numbers, possessive pronouns (2)

	Единственное число | Singular			Множественное число | Plural		
1	согласная **+** -ом -й, -ь **→** -ем	-а **→** -ой -я, **→** -ей -ь **+** -ю	-о **→** -ом -е **→** -ем	-ы, -а **→** -ами -и, -я **→** -ями Но, если -и после к, г, ж, ш, щ, ч, х **→** -ами		
2	-ый,-ой **→** -ым -ий **→** -им	-ая **→** -ой -яя **→** -ей	-ое **→** -ым -ее **→** -им	-ые **→** -ыми -ие **→** -ими		

ДАТЕЛЬНЫЙ ПАДЕЖ
THE DATIVE CASE

КОМУ? ЧЕМУ?

Функция	Пример
1. Адресат / Addressee	• Я сказал дру<u>гу</u>. • Я позвонил Тама<u>ре</u>. • Я отправил письмо друзь<u>ям</u>.
2. С «НУЖНО / «НАДО»	• <u>Мне</u> <u>нужно</u> работать. • Александ<u>ру</u> <u>надо</u> знать.
3. С «НРАВИТЬСЯ»	• <u>Тебе</u> <u>нравится</u> это. • <u>Марии</u> <u>нравится</u> этот дом.
4. Возраст / Age	• <u>Мне</u> 25 лет. • Андре<u>ю</u> 40 лет.
5. С предлогами / With prepositions К, ПО	• Я иду <u>к</u> докто<u>ру</u>. • Я иду <u>по</u> ули<u>це</u>.
6. Средства коммуникации + ПО / Means of communication + ПО	• Я звоню <u>по</u> телефо<u>ну</u>. • Я отправил информацию <u>по</u> фак<u>су</u>. • Я смотрел <u>по</u> телевизо<u>ру</u>.
7. Физическое и эмоциональное состояние / Physical and emotional condition	• <u>Мне</u> холодно. • <u>Моему другу</u> скучно. • <u>Нам</u> грустно.
8. Памятники / Monuments	• Это памятник <u>Александру Пушкину</u>.

Личные местоимения | Personal Pronouns

мне	тебе	ему	ей	ему	нам	вам	им

Окончания. Существительные (1), прилагательные, порядковые числительные, притяжательные местоимения (2) |
Endings. Nouns (1), adjectives, ordinal numbers, possessive pronouns (2)

	Единственное число | Singular			Множественное число | Plural		
1	согласная **+**-у -й, -ь → -ю	-а → -е -я, → -е -ь → -и -ия → -ии	-о → -у -е → -ю	-ы, -а → -ам -и, -я → -ям Но, если -и после к, г, ж, ш, щ, ч, х → -ам		
2	-ый,-ой → -ому -ий → -ему	-ая → -ой -яя → -ей	-ое -ому -ее -ему	-ые → -ым -ие → -им		

ВИДЫ ГЛАГОЛА
(ASPECTS OF VERB)

НСВ (Imperfective)	CB (Perfective)
• ПРОЦЕСС • МНОГО РАЗ	• РЕЗУЛЬТАТ • КОНЕЦ
Анна готовила ужин 3 часа. Анна готовила ужин каждый день.	Анна приготовила ужин. Давайте есть!
всегда, часто, иногда, редко, никогда, каждый день, 1 раз в месяц, долго, 2 часа, целый день, целый месяц	уже, ещё не, однажды, один раз
Настоящее время Анна <u>готовит</u> ужин.	**Настоящее время** ✕
Прошедшее время Анна <u>готовила</u> ужин 3 часа. Анна <u>готовила</u> ужин каждый день.	**Прошедшее время** Анна вчера <u>приготовила</u> ужин.
Будущее время Анна <u>будет готовить</u> ужин 2 часа. Анна <u>будет готовить</u> ужин каждый день.	**Будущее время** Анна <u>приготовит</u> нам ужин.

а) Составьте предложения по модели с глаголами в прошедшем времени.

1. читать / прочитать

Я читал книгу 2 дня.
Я прочитал книгу вчера.

2. открывать / открыть

3. закрывать / закрыть
4. писать / написать
5. говорить / сказать
6. покупать / купить
7. видеть / увидеть

б) Составьте предложения с глаголами в будущем времени.

ВОЗВРАТНЫЕ ГЛАГОЛЫ
(REFLEXIVE VERBS)

Настоящее время

1-е спряжение

я	-ю (-у)-	-сь
ты	-ешь-	-ся
он/она/оно	-ет-	-ся
мы	-ем-	-ся
вы	-ете-	-сь
они	-ют (-ут)-	-ся

Они встреча**ют**ся с друзьями.

2-е спряжение

я	-ю (-у)-	-сь
ты	-ишь-	-ся
он/она/оно	-ит-	-ся
мы	-им-	-ся
вы	-ите-	-сь
они	-ят (-ат)-	-ся

Они уч**ат**ся играть на гитаре.

Прошедшее время

НСВ, СВ

	-л-	-ся
	-ла-	-сь
	-ло-	-сь
	-ли-	-сь

- Они встреча**лись** с друзьями каждый день.
- Они встрети**лись** с друзьями вчера.

Будущее время

НСВ

я ты он мы вы они	буду будешь будет будем будете будут	+	инфинитив

Я <u>буду</u> встречаться с друзьями каждый день.

СВ

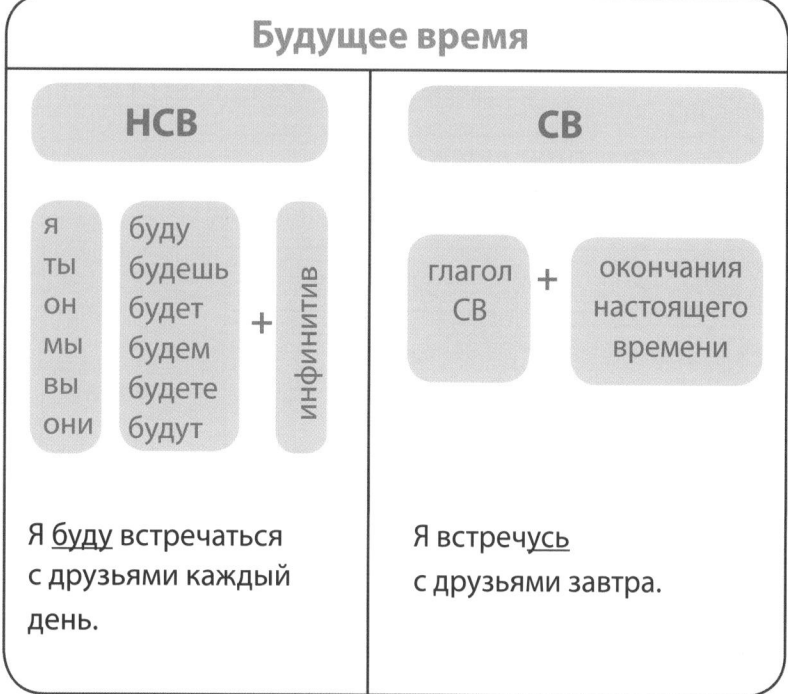

глагол СВ + окончания настоящего времени

Я встреч<u>усь</u> с друзьями завтра.

а) Составьте предложения по модели с глаголами в прошедшем времени.

1. встречаться / встретиться
   Я встречался с директором 2 раза.
   Вчера я встретился с директором.
2. открываться / открыться

3. закрываться / закрыться
4. кататься / покататься
5. учиться / научиться

б) Составьте предложения с глаголами в будущем времени.

ГЛАГОЛЫ ДВИЖЕНИЯ
(VERBS OF MOTION)

ГРУППА 1	ГРУППА 2
→	↗ ↖ ↑

• в одну сторону
• будущее время:
  сегодня вечером, завтра
	• туда и обратно (много раз)
	• прошедшее время: вчера,
	  прошлым летом, неделю назад

идти ехать лететь	ходить ездить летать
• Сейчас я <u>иду</u> в кино. • Завтра я <u>еду</u> в отпуск. • Сегодня вечером я <u>лечу</u> на Мальдивы.	• Каждый день я <u>хожу</u> на работу. • Каждое лето я <u>езжу</u> в отпуск. • Прошлым летом я <u>летал</u> на Мальдивы.

ГЛАГОЛЫ ДВИЖЕНИЯ С ПРИСТАВКАМИ
(VERBS OF MOTION WITH PREFIXES)

ГЛАГОЛЫ ДВИЖЕНИЯ	
НСВ (Imperfective)	
	↗ ↖ ↑
идти ехать лететь	ходить ездить летать
СВ (Perfective)	**НСВ (Imperfective)**
прийти приехать прилететь	приходить приезжать прилетать

**Составьте предложения по модели
с глаголами.**

1. идти / ходить
Я прихожу в 8:00. Я ухожу в 18:00.
Вчера я пришёл в 9:00, а ушёл в 17:00.
Завтра я приду в 8:00 и уйду в 6:00.

2. ехать / ездить (-езжать)
3. лететь / летать

по-		Он **пошёл** в школу в 6 лет.
при-		Он **пришёл** <u>на</u> вечеринку в 6 часов.
у-		Он **ушёл** <u>с</u> вечеринки в 9 часов.
в(о)-		Он **вошёл** <u>в</u> комнату (внутрь).
вы-		Он **вышел** <u>из</u> комнаты (наружу).
под(о)-		Он **подошёл** <u>к</u> человеку.
от(о)-		Он **отошёл** <u>от</u> человека.
про-		1. Он **прошёл** мимо меня. 2. Он **прошёл** через арку. 3. Он **прошёл** 5 км.
пере-		Он **перешёл** улицу.
до-		Наконец он **дошёл** до Кремля.
об(о)-		Он **обошёл** этот дом.
за-		По дороге домой он **зашёл** в магазин.

ЗВУКИ В РУССКОМ ЯЗЫКЕ

Гласные

| а | о | у | э | ы |

я	*ё*	*ю*	*е*	*и*
йа	йо	йу	йэ	и	в начале слога *(syllable)*

| 'а | 'о | 'у | 'э | 'и | после согласных |

Согласные

Парные

б	в	г	д	ж	з	Звонкие
п	ф	к	т	ш	с	Глухие

Непарные

й	м	н	л	р	Звонкие
щ'	ч'	х	ц		Глухие

Мягкие

б'	в'	г'	д'	з'	Перед
п'	ф'	к'	т'	с'	Ь, Ю, Ё, Я, Е, И
				х'	

Обозначения

а	жирный шрифт – ударение
'	апостроф – смягчение согласного

* В данном курсе используется упрощённая транскрипция, чтобы сделать изучение языка более доступным.

ТИПЫ ИНТОНАЦИОННЫХ КОНСТРУКЦИЙ

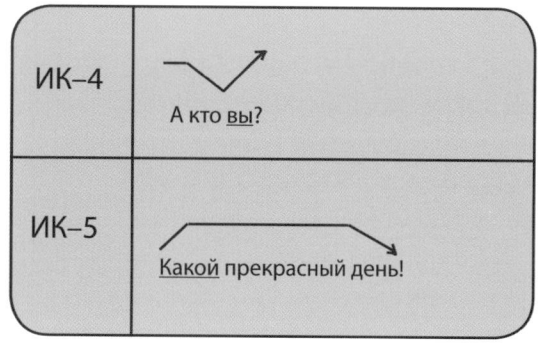

151

КОММУНИКАТИВНАЯ ПРАКТИКА

1.1–9　Моя семья

Студент А

Вы – Максим.

У вас есть сестра. Её зовут Анна. Вы сейчас разговариваете. Она хочет пригласить вас на вечеринку. Вы хотите знать:

- почему будет вечеринка,
- кто будет на вечеринке,
- когда будет вечеринка,
- может ваша девушка идти с вами или нет.

2.1–8　С праздником!

Студент А

Вы – Кейт

Сегодня большой праздник, день рождения мамы Дональда. Дональд – это ваш муж. Вы, конечно, понимаете, что он опять забыл. Как вы скажете ему об этом?

2.3–3　Подарок для бабушки

Студент А

1. Смотрите на рисунок справа.
2. Опишите партнёру (describe to your partner) всё, что вы видите на рисунке. Не показывайте (don't show) рисунок партнёру. Используйте конструкции с предлогами (use constructions with prepositions). Например:

- На рисунке девочка. Около девочки цветы.
- Справа / слева от мальчика дом.

3. Партнёр должен нарисовать (draw) рисунок.
4. Потом сравните (compare) рисунки (drawings) с оригиналом.

Студент А

Вас зовут Дмитрий. У вас есть брат Александр. Вы сейчас разговариваете с Александром. Скоро у вашего дедушки день рождения. Вам нужно решить, какой подарок вы купите. Вы знаете, что ваш дедушка раньше очень любил спорт. Он всегда мечтал прыгнуть с парашютом. Вы хотите предложить этот вариант.

Студент А

Вы – покупатель на рынке. У вас есть список продуктов, которые вам надо купить. Разговаривайте с продавцом. Вы хотите получить скидку (discount).

Список продуктов

- яблоки 2 кг
- бананы 3 кг
- помидоры 2 кг
- сливы 1 кг
- апельсины 2 кг
- грейпфрут 1 кг
- персики 8 кг
- молоко 5 л

2.3–3

Подарок для бабушки

Студент Б

1. Смотрите на рисунок справа.
2. Опишите партнёру (describe to your partner) всё, что вы видите на рисунке. Не показывайте (don't show) рисунок партнёру. Используйте конструкции с предлогами (use constructions with prepositions). Например:
- На рисунке девочка. Около девочки цветы.
- Справа / слева от мальчика дом.
3. Партнёр должен нарисовать (draw) рисунок.
4. Потом сравните (compare) рисунки (drawings) с оригиналом.

Студент А

Вы – продавец в магазине одежды.
В магазине есть разные джинсы: чёрные,
синие и голубые. В магазине есть размеры
46, 48, 50. Это российские размеры.
Чёрные джинсы стоят 4000 руб., синие
4300 руб., а голубые 4500 руб. Вы видите
потенциального покупателя. Ему надо
помочь.

Студент А

Вы недавно были в отпуске в
Африке. Вы очень любите горы.
Поэтому вы хотели увидеть
гору Килиманджаро. Эта гора
находится в Танзании. Но это не
просто гора. Это потенциально
активный вулкан. Интересно, где
был ваш друг в отпуске и что он
видел?

ТАБЛИЦА РАЗМЕРОВ

	Россия	США	Европа
XXS	38	0	32
XS	40	2	34
S	42	4	36
M	44–46	6–8	38–40
L	48–50	10–12	42–44
XL	52	14	48
XXL	54–56	16	50
XXXL	58	18	52

4.2–5   Я хочу забронировать
номер в гостинице

Студент А

июнь 2017						
ПН	ВТ	СР	ЧТ	ПТ	СБ	ВС
29	30	31	1 •	②	3	4
5 •	6 •	7 •	8 •	9 •	10 •	11 •
12 •	13	14	15	16	17 •	18 •
19 •	20 •	21 •	22	23	24	25
26	27 •	28 •	29 •	30 •		

4.3–8   Они хотят поехать вместе в отпуск

Студент А

У вас есть отличная идея, куда можно поехать в отпуск. Вы очень хотите пойти в поход в лес, потому что там всегда тихо и хорошо. Также у вас есть ещё один вариант – это пустыня Сахара в Африке. Вы думаете, что это будет классно и экстремально. Что об этом думает ваш друг? Может быть, у него есть более интересные идеи? Но вы никогда не поедете в круиз, потому что вы ненавидите воду и у вас морская болезнь.

5.3–2   Квартира в аренду

Студент А

Вы сдаёте квартиру в аренду. Вот информация о ней. Читайте и отвечайте на вопросы потенциального клиента, который звонит вам по телефону.

5.2–5   Убираемся дома

Студент А

Вы работаете в клининговой компании. Вы – хорошие профессионалы.
Сейчас вы в доме у клиента. Послушайте, что вам нужно сделать у него дома. Потом решите и скажите, сколько это будет стоить. У него дома очень грязно!

ИНФОРМАЦИЯ О КВАРТИРЕ

- 140 квадратных метров.
- Квартира-студия в стиле лофт (гостиная и кухня вместе).
- 2 спальни.
- В центре города.
- 60 тысяч руб. /мес.
- Вы можете показывать (to show) квартиру в понедельник с 11:00 до 15:00 и в четверг после 18:00.

4.3–8 Они хотят поехать вместе в отпуск

6.1–8 Собеседование

Студент А

Вы хотите работать поваром. Ваше резюме понравилось компании. Сейчас вы на собеседовании с менеджером по персоналу. Расскажите о себе. Вы учились в кулинарном колледже. Также вы 3 года работали официантом. Потом 6 лет вы работали поваром в ресторане «Сладкая жизнь». Но потом ресторан закрылся. Вы отличный профессионал. Вы всегда хотели работать поваром. Даже в детстве вы готовили еду для мамы и папы.

Студент Б

У вас есть отличная идея, куда можно поехать в отпуск. Вы очень любите море и корабли. Поэтому вы хотите поехать в круиз. Интересно, что об этом думает ваш друг? Может быть, у него есть более интересные идеи? Но вы никогда не пойдёте в поход, потому что вы ненавидите лес. Там много комаров и очень страшно.

5.3–7 Где это находится?

Студент А

Вы (студент А и студент Б) живёте вместе. Вы всегда теряете вещи. Поговорите со студентом Б. Может быть, он знает, где ваши вещи:
• чашка кофе;
• журнал;
• письмо.
Найдите на картинке, где находятся ваши вещи. Помогите студенту Б. Он тоже всегда теряет вещи.

6.3–7 Электронное письмо

Студент А

Вы сейчас перед компьютером. Смотрите вашу электронную почту (справа). Ваш коллега Антон звонит вам. Ответьте и узнайте, чего он хочет.

написать

- входя́щие
- черновик**и**
- отпр**а**вленные
- спам
- корз**и**на

☐	от	тема	дата
☐	Джон	номер заказа	**сегодня**
☐	Сергей	собеседование	**сегодня**
☐	Марта	резюме	**вчера**
☐	Джек	совещание	**вчера**
☐	Мария	проблема	**вчера**
☐	Анна	собрание	**вчера**
☐	Дима	книга	**вчера**
☐	Фред	документы	**вчера**
☐	Антон	вечеринка	**позавчера**
☐	Марк	день рождения босса	**позавчера**
☐	Миша	план работы	**позавчера**

8.2 Ориентация в городе

Студент А

Вы – местный житель. Вчера вы узнали, что в городе открыли цирк. Вы очень хотите пойти туда, но не знаете, где он находится. Вы увидели туриста на улице, он хочет у вас что-то спросить. Поговорите с ним. Дайте ему совет, куда можно пойти. Расскажите, как попасть туда. Узнайте, был ли он в цирке. Если уже был, узнайте адрес. Карта города справа. Рисуйте на карте маршрут к цирку.

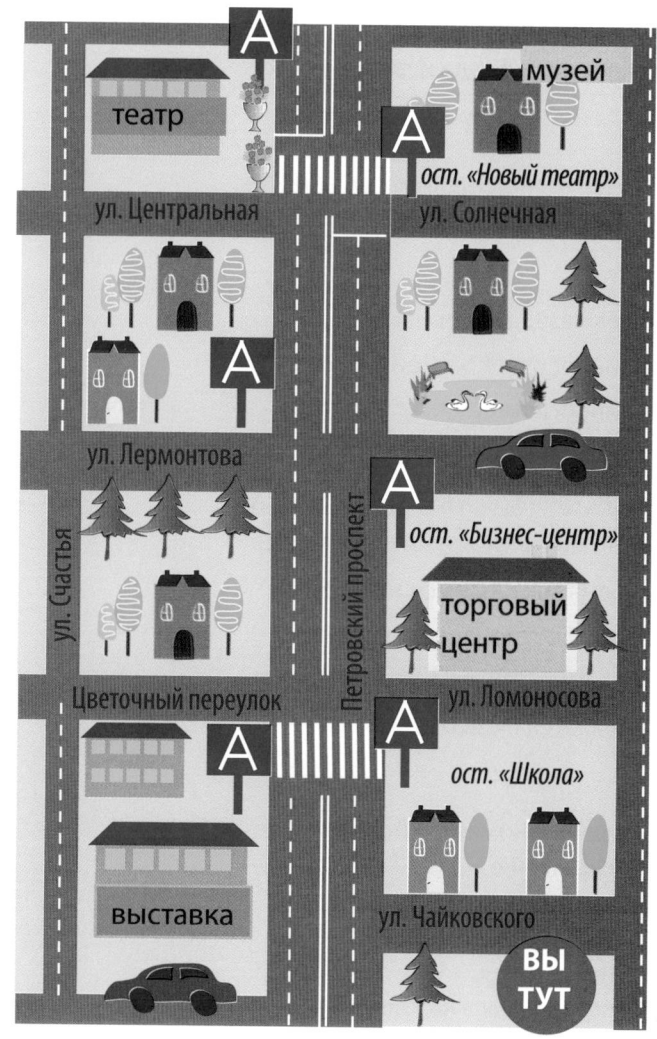

КЛЮЧИ К ТЕСТАМ

(1.4) ОБЗОР 1. МОЯ СЕМЬЯ

1.
1. мама мамы — это бабушка
2. дочка сестры — это племянница
3. сын папы — это брат
4. дочка мамы — это сестра
5. сын сына — это внук
6. дочка сына — это внучка
7. сын брата — это племянник
8. сестра папы — это тётя
9. брат мамы — это дядя

2.
Каждый день я занимаюсь спортом **(г).**

3.
Мы любим кататься на велосипеде **(г).**

4.
Мы поженились 4 года назад **(в).**

5.
1. Раньше я много занимался спортом.
   — Сейчас я много занимаюсь спортом.
2. 10 лет назад мы учились в университете. — Сейчас мы учимся в университете.
3. Они встречались каждый день. — Они встречаются каждый день.
4. Вчера мы катались на лодке — Сегодня мы катаемся на лодке.
5. Он профессионально занимался музыкой. — Он профессионально занимается музыкой.

6.
1. Бабушка занимается йогой в воскресенье.
2. Мы познакомились 2 года назад.
3. 10 лет назад мы учились вместе в университете.
4. Мы встречаемся каждый день.

(2.4) ОБЗОР 2. ПРАЗДНИКИ

1.
1. день рождения
2. День святого Валентина
3. Новый год
4. свадьба
5. годовщина
6. Пасха

2.
Мой друг!
Поздравляю тебя с днём рождения!
Желаю много счастья и большой любви!

3.
1. Я поздравляю вас с годовщиной!
2. Я живу около парка.
3. Мы желаем вам удачи.
4. У моего хорошего друга есть отличная идея.
5. Я не могу жить без минеральной воды.
6. Я желаю тебе хорошего дня!

4.
1. После нашего урока я иду в фитнес-клуб.
2. Я хочу чай без лимона.
3. Я готовлю подарок для моего папы.
4. Мы приехали из Берлина год назад.
5. От дома до работы надо ехать 1 час.
6. Около офиса есть красивый парк.
7. Что вы делали после вечеринки?

(3.4) ОБЗОР 3. ПОКУПКИ

1.
1. банан
2. персик
3. рубашка
4. шапка
5. помидор
6. шарф

2.
1. У меня нет новых костюмов.
2. У него нет хороших друзей.
3. У неё нет большой машины.
4. У них нет тёплых свитеров.
5. В городе нет хороших ресторанов.

6. У меня нет планов на выходные.
7. У меня нет вопросов.

3.
1. Это сюрприз для моих друзей.
2. Около парков всегда есть кафе.
3. Как ты живёшь без шоколада?
4. У нас нет вариантов.

4.
• четыре свитера
• пять галстуков
• два платья
• две рубашки

(4.4) ОБЗОР 4. СКОРО В ОТПУСК

1.
1 — г
2 — б
3 — а
4 — б

2.
1. Я пойду в кино завтра.
2. Куда ты сейчас едешь?
3. Куда вы пойдёте завтра?
4. Вчера я читал книгу 2 часа.

3.

Какое число: 2, 5, 6.
Какого числа (когда): 1, 3, 4, 7.

4.
1 — в
2 — г
3 — б
4 — д
5 — а
6 — е

(5.4) ОБЗОР 5. У НАС ДОМА

1.
а) кровать
б) пылесос
в) швабра
г) порошок

2.
а) на одиннадцатом
б) на пятом
в) на первом

г) на втором
д) на тридцатом

3.
1 — ё
2 — в
3 — д
4 — а
5 — е
6 — б
7 — и
8 — з
9 — ж
10 — г

4.
1. красными стульями
2. новым диваном
3. большим столом
4. журнальным столиком
5. большой картиной
6. нашим домом

5.
1. в нашей спальне
2. журнальном столике
3. большом столе
4. посудомоечной машине
5. большой гостиной
6. кухонном столе

(6.4) ОБЗОР 6. НА РАБОТЕ

1.
1. — з
2. — а
3. — ё
4. — и
5. — б
6. — в
7. — г

8. — ж

9. — д

10. — е

2.

1)

меня

(н)его

нас

2)

тобой

(н)им

н)ей

(н)ими

3)

ему

ей

вам

3.

1. Я работаю врачом.

2. Я хочу быть стюардессой.

3. Я хочу стать медсестрой.

4. Я объясняю грамматику моим студентам.

5. Мальчик хочет быть президентом.

4.

1. Я сказал моему другу.

2. Я обещал моей сестре.

3. Учитель объясняет грамматику школьникам.

4. Я всегда помогаю моим близким друзьям.

5. Я посоветовал моему папе.

6. Я отправил письмо твоему сыну.

5.

1. Извините, что позвонил вам так поздно.

2. Извините за это.

3. Спасибо за всё!

4. Спасибо, что рассказал моей маме!

5. Извините, что информирую вас так поздно!

 ОБЗОР 7. ДОСУГ

1.

1. джаз

2. фантастика

3. мюзиклы

4. мемуары

2.

1. Я думаю о моём хорошем друге.

2. Эта книга рассказывает о жизни.

3. Он любит слушать классическую музыку.

4. Я вижу моего хорошего друга.

5. Я рекомендовал это нашему клиенту.

6. Он рассказал мне о твоей работе.

7. Я читал это в книге о Томе Сойере.

8. Вчера я прочитал интересную статью.

9. Ты говорил обо мне?

10. Мы знаем вашего нового директора.

11. Я сказал моему коллеге.

12. Это фильм об истории России.

3.

1. Каждое утро я хожу на работу.

2. Каждое лето я езжу в отпуск на Байкал.

3. Мои дети уже большие и не ходят в школу.

4. Я хожу с собакой в парк каждое утро и каждый вечер.

5. Я сейчас еду на метро.

6. Куда ты идёшь? Уже 11 часов вечера.

7. Вчера я ходил в музей.

8. Каждый месяц они ходят в театр.

9. Прошлым летом мы ездили в Канны.

10. Каждый год он ездит в Италию.

4.

1. Я люблю хорошую музыку.

2. Я думаю о новом фильме.

3. Летом они ездили в Калифорнию.

4. Он знает мою сестру.

5. Вы говорите о студентах.

6. Вчера он рассказал нам о твоих проблемах.

 ОБЗОР 8. ГОРОДА

1.

а) вылет

б) дьюти-фри

в) торговый центр

г) проспект

2.

1. Я иду по красивой улице.

2. Я подхожу к автобусной остановке.

3. Я должен пойти к хорошему врачу.

4. Мы любим гулять по этому пляжу.

5. Мы едем на машине по Цветному бульвару.

6. Она идёт в гости к моему другу.

7. Я люблю ехать по этому шоссе.

8. Когда подойдёшь к зданию, поверни направо.

3.

1. Это самое высокое здание в городе. Его построили в 1933-ем году.

2. Сейчас идёт 2017-ый год.

3. Она родилась в 1988-ом году.

4. Мы встретились в 2015-ом году.

5. Это был 2000-ый год.

6. Он родился в 1958-ом году.

4.

1. Подойди ко мне. Я хочу тебе что-то сказать.

2. Он прошёл мимо меня и даже не поздоровался.

3. Когда я рассказал ей об этой идее, она посмотрела на меня, как будто я ненормальный, и отошла от меня. Больше я не видел её.

4. Ко мне часто приходят гости. Я очень люблю эти моменты. Мы вместе пьём чай и разговариваем.

5. Я вчера плохо себя чувствовал, поэтому уехал из офиса раньше.

6. Нет! Я не буду тут переходить улицу. Давай пойдём на пешеходный переход!

7. Давай зайдём сначала в кафе. Я хочу купить кофе. А потом пойдём в парк.

8. Нам нужно дойти до аптеки и купить таблетки.

9. Мне жарко! Можно выйти на улицу?

10. Если вы хотите въехать в этот город на машине, вы должны заплатить деньги.

11. Нам нужно объехать это здание. За ним будет парковка.

5.

1. Нам нужно повернуть направо.

2. Твой телефон слева от вазы.

3. Вам нужно подняться наверх на эскалаторе. Потом справа вы увидите паспортный контроль.

АУДИОКУРС

занима́ться
встреча́ться
мне нра́вится
они у́чатся
она занима́ется
он ката́ется

1.1–4
жена́, жира́ф, ждать,
Жене́ва, жить

ба́бушка, де́душка, де́вушка, шарм, шарф,
шанс, шампа́нское

муж, эта́ж, бага́ж, нож, гара́ж, персона́ж,
Пари́ж, макия́ж

1.2–4
•   **Евгения**
В свобо́дное вре́мя я люблю́ ката́ться на
велосипе́де и чита́ть кни́ги.

•   **Инна**
Я люблю́ занима́ться йо́гой и́ли смотре́ть
телеви́зор.

•   **Андрей**
Обы́чно я встреча́юсь с друзья́ми и́ли учу́сь
игра́ть на гита́ре.

1.2–5
Здра́вствуйте! Меня́ зову́т Михаи́л Ивано́в.
Я о́чень мно́го рабо́таю, поэ́тому я нечасто
отдыха́ю с семьёй. Но когда́ у меня́ есть
свобо́дное вре́мя, я люблю́ быть с семьёй.
И ещё мы с А́нной лю́бим встреча́ться
с друзья́ми. Моя́ жена́ А́нна о́чень лю́бит
спорт. И она́ хо́чет занима́ться спо́ртом
вме́сте. Е́сли че́стно, я не о́чень люблю́
спорт. И о́чень ча́сто А́нна занима́ется
спо́ртом одна́. Но мне нра́вится ката́ться
на велосипе́де.
На́ши де́ти И́горь и Алексе́й у́чатся
в шко́ле. В свобо́дное вре́мя они́
занима́ются спо́ртом и игра́ют на пиани́но.
А ещё они́ о́чень лю́бят игра́ть на
компью́тере.

1.2–6
пи́цца, церемо́ния, америка́нец, цирк,
Цю́рих, африка́нец, цуна́ми, информа́ция,
цена́, ци́трус

1.3–1
Вика
Я – декора́тор. Я де́лаю декора́ции на
пра́здники и в магази́ны. Я не за́мужем, но у
меня́ есть молодо́й челове́к. Мы встреча́емся
уже́ 3 го́да. Мы вме́сте о́чень лю́бим ката́ться на
сноубо́рде и́ли про́сто гуля́ть и разгова́ривать.

Татьяна
Я до́лгое вре́мя жила́ с му́жем в Герма́нии,
сейча́с я живу́ в Росси́и и рабо́таю в шко́ле.
Я – ме́неджер. Я зна́ю англи́йский и неме́цкий
языки́. В свобо́дное вре́мя я о́чень люблю́
путеше́ствовать и де́лать фотогра́фии.
Фотогра́фия – э́то моё хо́бби.

Владимир
Я – води́тель. Я жена́т уже́ 20 лет. Мою́ жену́
зову́т Ю́лия. У нас есть 3 до́чки. Я о́чень люблю́
занима́ться спо́ртом, осо́бенно я люблю́
ката́ться на лы́жах.

2.1–1
Но́вый год
Рождество́
Па́сха
день рожде́ния
Восьмо́е ма́рта
годовщи́на
День свято́го Валенти́на
Два́дцать тре́тье февраля́
сва́дьба

2.1–5
•   пра́здник
•   С пра́здником!
•   пра́здновать
•   пра́здничный костю́м
•   пра́здничный день
•   пра́здничный стол

2.1–7
А: Дона́льд, како́й сего́дня день?
Б: Четве́рг, а что?

А: Нет, Дональд! Я имею в виду, какое сегодня число?

Б: Двадцатое июня.

А: И какой это праздник?

Б: Праздник? Ну, конечно, милая, сегодня наша годовщина! С годовщиной, дорогая!

А: Дональд, ты опять забыл!? Сегодня день рождения у сына!

Б: У Джордана? Ах, да! Точно! Ты права! Я забыл! Извини! Как мы будем праздновать сегодня? У тебя есть идеи, что мы будем дарить?

А: Да, у меня есть идея. Я позавчера видела в магазине то, что он хочет.

2.3–1

Скоро Новый год, поэтому вчера я был в магазине. У меня около дома есть один очень хороший и большой магазин. Там я купил подарки для жены, дочки, мамы, папы и лучшего друга.

Для моего друга я купил бутылку хорошего вина. Для жены – её любимые духи. Для дочки – игрушку. А для мамы и папы – картину их любимого художника.

3.1–2

1.

Я ненавижу делать покупки. Но, к сожалению, моя жена очень любит магазины одежды и обуви. Иногда я должен идти в магазин с ней. Это ужасно!

2.

Мне нравится покупать продукты. Иногда я сам хочу идти на рынок, выбирать мясо или рыбу. Но мне не нравится покупать одежду.

3.

Я обожаю магазины. Особенно я люблю покупать одежду и обувь с подругами. Мы можем рекомендовать друг другу разные варианты. Мы всегда идём в выходные в торговый центр около дома.

3.1–3

А: Здравствуйте! Чем могу помочь?

Б: Мне нужен крем от солнца. Я еду в отпуск на море.

А: У нас есть очень хорошие кремы. Вот. Это крем для лица и крем для тела.

Б: Хорошо! Я покупаю их. Мне ещё нужен крем для рук, гель для душа и бальзам для губ.

А: Вот, у нас есть очень хорошая косметика из Израиля.

Б: Хорошо, я покупаю. Сколько с меня?

А: 4867 рублей.

Б: Вот, пожалуйста.

А: Спасибо за покупку! Ждём вас снова!

Б: Спасибо! До свидания!

3.3–4

1. Эти джинсы б**о**льше, чем эти.
2. Этот свитер слишком больш**о**й.
3. В магазине нет размеров б**о**льше, чем пятьдесят второй.
4. Я думаю, эта рубашка слишком больш**а**я.
5. Что вы любите б**о**льше: формальный или неформальный стиль одежды?
6. Я б**о**льше не хочу ждать.
7. Это очень больш**о**й магазин. Там 6 этажей.
8. Я думал, что старый офис больш**о**й, но наш новый офис ещё б**о**льше.
9. Размер сорок восемь б**о**льше, чем сорок шесть.

4.1–8

А: Привет! Как давно я тебя не видела! Ты где был?

Б: Я был в отпуске. Вчера приехал из Индии.

А: И как прошёл твой отпуск? Там было что-то интересное?

Б: Очень много интересного! Люди, кухня, культура, архитектура! Мне очень понравилось в Индии!

А: Зд**о**рово! Я рада, что тебе понравилось!

4.3–4

открыв**а**ть
закрыв**а**ть
продав**а**ть
покуп**а**ть
встреч**а**ть
выбир**а**ть
говор**и**ть
расск**а**зывать

4.3–7

А: Давай пойдём в поход в лес. Это будет здорово!

Б: А может быть, будет лучше, если мы поедем в круиз?

A: Ну, не знаю... Я не очень люблю море. А давай пойдём в горы!

Б: Я не очень люблю горы. А что если мы поедем на карнавал в Бразилию? Мой друг рассказал, что он был там в прошлом году и ему очень понравилось. Он сказал, что это был лучший отпуск в его жизни.

A: Давай! Будет здорово! Мы встретим много интересных людей, увидим отличное шоу и купим много сувениров. Давай выберем хороший отель. Вот, смотри, на сайте хороший вариант.

5.2–7

A: Здравствуйте! Скажите, пожалуйста, для чего нужно это средство?

Б: Это средство для мытья посуды.

A: А это?

Б: А это средство нужно, чтобы мыть пол.

A: Спасибо!

5.3–2

A: Алло!

Б: Алло! Здравствуйте! Меня зовут Дмитрий. Я увидел ваше объявление в Интернете. Вы сдаёте квартиру?

A: Да, всё правильно!

Б: Я бы хотел узнать некоторые детали.

A: Да, пожалуйста!

Б: На сайте написано, что это квартира-студия. А там есть отдельная спальня?

A: Да, там есть только одна спальня.

Б: А какая площадь у квартиры?

A: 120.

Б: А там есть место, где я могу работать? Дело в том, что мне нужен большой стол. Я делаю макеты.

A: Вы знаете, сейчас большого стола в квартире нет. Но мы можем поставить его в гостиной. Там есть место между спальней и ванной.

Б: А там есть окно? Мне нужно много света.

A: Нет, там нет окна. Но мы можем повесить лампу над столом.

Б: Я бы хотел посмотреть квартиру сегодня. Это возможно?

A: Да, конечно.

6.1–5

A: Всё! Я устал! Надо пойти выпить кофе! Ты со мной?

Б: Пойдём! Отличная идея!

B: Ой! А куда вы идёте?

A: Мы хотим пойти выпить кофе. Пойдёшь с нами?

B: Да, конечно!

6.2–2

A: Алло! Я вас слушаю.

Б: Здравствуйте, Мария! Извините, что звоню так поздно. Меня зовут Анастасия.

A: Извините, я вас не слышу. Я сейчас в метро. Вы можете говорить громче?

Б: Может быть, будет лучше, если я перезвоню позже?

A: Вот, сейчас слышу! Что вы хотели?

Б: Это Анастасия из компании «Дольче Вита». Я хотела сказать, что ваш заказ готов. В какое время вам удобно встретиться с нашим организатором?

A: Мне удобно завтра после работы, в 7. Я могу приехать к вам в офис. Это удобно?

Б: Да! Отлично! Значит, договорились!

A: Спасибо, до свидания!

6.2–5

A: Алло!

Б: Алло! Маргарита, привет! Извини, что звоню так поздно!

A: Ничего страшного! Привет, Сергей! Что случилось?

Б: Дело в том, что я завтра не смогу прийти на встречу. У меня будет важное совещание в это время! Извини, что так поздно информирую.

A: Ничего страшного! Нет проблем!

Б: Спасибо за понимание! Пока!

A: Пока!

6.2–8

Диалог 1

A: Алло!

Б: Привет, Алексей! Это я, Сергей.

A: Привет, Сергей! Ты что хотел?

Б: Я хотел сказать, что у нас в офисе будет работать новый финансист. Ты можешь организовать тренинг для него?

A: Сейчас, минуточку, мне надо подумать, когда я могу. В пятницу в 3 нормально?

Б: Хорошо! Я ему передам.

Диалог 2

A: Алло!

Б: Привет! Ты спишь? Извини, что звоню так рано! Дело в том, что сегодня наш босс едет в командировку, поэтому совещания в 9 часов не будет.

А: Хорошо! Спасибо за информацию!
Б: Не за что! Пока!
А: Пока!

7.2–4

• Я думал <u>об этом</u>.
• <u>О чём</u> ты сейчас думаешь?
• <u>О чём</u> ты говоришь?
• <u>О ком</u> ты говоришь?
• Он говорил <u>о фильме</u>.

7.3–1

[ж]	[ш]
я е<u>зж</u>у	бе<u>з ш</u>ампуня
по<u>зж</u>е	бе<u>з ш</u>ансов
и<u>з Ж</u>еневы	и<u>з Ш</u>анхая
и<u>з Ж</u>итомира	и<u>з Ш</u>веции
бе<u>з ж</u>ены	и<u>з Ш</u>вейцарии

7.3–3

А: Что ты планируешь делать в эти выходные? Давай пойдём в музей современного искусства!
Б: Только не это! Я не понимаю современное искусство! Давай лучше пойдём в кино!
А: Нет! В кино мы ходим слишком часто. Я хочу попробовать что-то новое. Смотри, сегодня вечером работает фотовыставка «Чёрно-белое кино». Пойдём?
Б: Может быть, лучше пойдём в спортбар и посмотрим там футбольный матч? Сегодня играет «Барселона».
А: Ты ходишь в спортбар каждую неделю. Давай пойдём на концерт. Смотри, твоя любимая группа сегодня выступает в клубе на Мясницкой улице.
Б: Вот, теперь я понимаю! Это уже совсем другое дело!

7.3–5

А: Здравствуйте! А что это за порода?
Б: Это лабрадор.
А: Да ладно! Не может быть! Такой огромный!
Б: Да, это американский лабрадор.
А: Вы хотите сказать, что в Америке такие большие лабрадоры?
Б: У них есть и обычные тоже. Но мы захотели купить большого лабрадора. Мы специально ездили в Миннесоту, чтобы купить его.
А: А вы знали, что он будет таким большим?
Б: Да, мы видели его родителей. Они тоже

большие и белые, как он. А какая порода у вашей собаки? Я никогда не видел таких больших чёрных собак!
А: Это русский терьер. Его зовут Шарик.

8.1–2

звуки	слоги	слова
[б] – [б′]	бы – би	<u>бы</u>ть – <u>би</u>ть
[в] – [в′]	вы – ви	<u>вы</u> – <u>ви</u>деть
[г] – [г′]	го – гё	<u>го</u>род – <u>Гё</u>теборг
[д] – [д′]	да – дя	<u>да</u>ть – <u>дя</u>дя
[з] – [з′]	зы – зи	моро<u>зы</u> – <u>зи</u>ма
[к] – [к′]	ко – кё	<u>ко</u>т – <u>Кё</u>льн
[л] – [л′]	ло – лё	<u>Ло</u>ндон – <u>лё</u>гкий
[м] – [м′]	мы – ми	<u>мы</u> – <u>Ми</u>ша
[н] – [н′]	на – ня	<u>на</u>с – <u>ня</u>ня
[п] – [п′]	па – пя	<u>па</u>па – <u>пя</u>ть
[р] – [р′]	ры – ри	<u>ры</u>ба – <u>ри</u>с
[с] – [с′]	сы – си	<u>сы</u>р – <u>си</u>ний
[т] – [т′]	то – тё	<u>То</u>кио – <u>тё</u>тя
[ф] – [ф′]	фы – фи	шар<u>фы</u> – <u>фи</u>ниш
[х] – [х′]	ха – хи	<u>хо</u>рошо – <u>хи</u>трый

8.2–5
Диалог 1
А: После светофора направо!
Б: Туда нельзя! Там «кирпич»!
А: Хорошо! Тогда остановите после светофора.
Б: Хорошо!

Диалог 2
А: Извините, а я на этой маршрутке доеду до Мегамолла?
Б: А что это?
А: Это большой торговый центр.
Б: Да-да! Доедете. Она как раз туда идёт.
А: А сколько остановок надо ехать?
Б: Это будет конечная остановка.

Диалог 3
А: Здравствуйте! Можно ваши документы?
Б: А что случилось? Я что-то сделала не так?
А: Вы оставили машину на пешеходном переходе. Вы считаете, это нормально?
Б: Извините, но нигде не было свободных мест. У меня не было выбора.
А: На пешеходном переходе парковка запрещена.

8.2–7

А: Здравствуйте! Помогите мне, пожалуйста! Как попасть в Новый театр?

Б: Очень просто! Сначала вам надо идти прямо по улице Чайковского. Потом поверните направо на Петровский проспект и идите к автобусной остановке. Там вам нужно сесть на маршрутку номер 21.

А: Извините, а что такое маршрутка?

Б: Маршрутка – это мини-автобус. Это маршрутное такси.

А: Ааа... понятно.

Б: Вам нужно ехать по проспекту две остановки до остановки «Новый театр». Потом вам нужно перейти улицу к Центральной улице. И справа вы увидите театр.

А: Спасибо большое! До свидания!

8.3–2

Сначала пассажиры проходят регистрацию. Потом они проходят паспортный контроль. После этого у них есть время сделать покупки в дьюти-фри.
Потом они должны ждать в зале вылета. Потом происходит посадка на рейс. После этого самолёт вылетает из аэропорта. Он летит в другой город или страну и там садится в местном аэропорту.

8.3–3

Диалог 1

А: Какой у нас номер рейса?

Б: А3452840.

А: Наши стойки регистрации – с 28-ой по 35-ую.

Б: О боже! Посмотри, какая длинная очередь!

Диалог 2

А: Извините, а где паспортный контроль?

Б: Идите прямо. Там будет эскалатор. Вам нужно подняться на второй этаж. Там будет паспортный контроль.

Диалог 3

А: Внимание! На рейс F2828 Москва – Стамбул началась посадка. Выход номер 29.

Б: Пойдём быстрее! Уже началась посадка!

Диалог 4

А: Я не знаю, куда ехать! Направо или налево?

Б: Направо, конечно! Нам нужен вылет.

8.3–4

А: Дональд, давай быстрее! Нам нужно приехать в аэропорт за 2 часа до вылета.

Б: Что там делать два часа? Давай выедем из дома в 5 часов. Мы приедем в аэропорт в 6 часов.
У нас будет целый час, чтобы пройти регистрацию, паспортный контроль и сесть на самолёт.

А: Это очень большой риск! Мы не можем так рисковать! Мы можем опоздать. Будет лучше, если у нас будет время, чтобы мы могли обойти все магазины.

Б: Ты знаешь, как я их ненавижу!

БЛАГОДАРНОСТИ

Я хочу поблагодарить всех людей, которые принимали участие в создании этого учебно-методического комплекса.

Для начала я хочу выразить благодарность людям, которые разрешили мне использовать в учебнике свои фотографии. Это Марина Мрзукова, Екатерина Сидоренко, Елена Петрова, Инна Шабурова, Саймон Форбс, Марк Флауэрс, Калум Хемс, Тамара Катаева, Светлана Мамаева, Евгения Гутер, Андрей Чебан, Виктория Катаева, Владимир Катаев, Татьяна Полякова, Анастасия Семьина, Нина Мараниченко, Юлия Катаева, Даниил Зиновенко, Юлия Янсон, Ульяна Матвеева, Сергей Мозелов, Ангелина Ратновская, Диана Камышевская, Ольга Новгородова, Артём Воронцов и Юлия Теклюк.

Особая благодарность выражается людям, принявшим участие в записи видеоматериалов: Юлия Теклюк, Анастасия Семьина, Наталья Мокеев, Виктория Катаева, Ольга Новгородова, Юрий Сичилиано и Рахиль Брускова.

Также хочу выразить благодарность людям, принявшим участие в записи аудиоматериалов: Виктория Катаева, Сергей Мозелов, Нина Мараниченко, Елена Мозелова, Владимир Катаев, Борис Шапаев, Татьяна Полякова, Андрей Чебан, Евгения Гутер, Инна Шабурова, Дмитрий Баткаев.

И отдельную благодарность я хочу выразить людям, чей вклад в этот учебно-методический комплекс невозможно переоценить: это рецензент Эльза Иванова, редактор Анна Вертягина и художник-иллюстратор Виктория Катаева.

Спасибо вам, дорогие друзья, коллеги и родственники! Без вас создание этого учебника было бы невозможным!

Ирина Мозелова

Учебное издание

Мозелова Ирина

РУССКИЙ СУВЕНИР

Учебный комплекс по русскому языку для иностранцев

Базовый уровень

Учебник

Редактор *А. Вертягина*
Корректор *О. Юрьев*
Художник *В. Катаева*
Вёрстка *И. Мозелова*

Подписано в печать 19.10.2020. Формат 60х90/8.
Объём 21 п.л. Тираж 1000 экз. Зак. № 832.

Издательство ООО «Русский язык». Курсы
107078, Москва, ул. Новая Басманная, д. 19, стр. 2
Тел.: +7 (499) 261-54-37, (499) 261-12-26
e-mail: rusyaz_kursy@mail.ru; ruskursy@mail.ru; ruskursy@gmail.com; rkursy@gmail.com
Наш сайт: www.rus-lang.ru

Следите за новинками издательства в социальных сетях:
https://vk.com/public131540114   https://facebook.com/ruskursy/?ref=bookmarks

В оформлении книги были использованы изображения,
предоставленные агентствами Depositphotos, Pixabay, Freepik, Freeimages

Отпечатано в полном соответствии с качеством предоставленного электронного
оригинал-макета в АО «Областная типогрфия «Печатный двор»
432049, г. Ульяновск, ул. Пушкарёва, 27.